Oscar classici moderni

Giuseppe Ungaretti

Vita d'un uomo

106 poesie 1914-1960

ARNOLDO MONDADORI
EDITORE

14 edizioni Oscar Mondadori
I edizione Oscar poesia febbraio 1985
I edizione Oscar classici moderni gennaio 1992

ISBN 880435453-3

Questo volume è stato stampato
presso Arnoldo Mondadori Editore S.p.A.
Stabilimento Nuova Stampa - Cles (TN)
Stampato in Italia - Printed in Italy

Ristampe:

1 2 3 4 5 6 7 8 9 10 11 12

1992 1993 1994 1995 1996 1997

Giuseppe Ungaretti

La vita

Giuseppe Ungaretti nasce ad Alessandria d'Egitto il 10 febbraio 1888, da Antonio e Maria Lunardini, provenienti dai dintorni di Lucca. Durante gli scavi del Canale di Suez, dove lavorava come operaio, il padre si ammala e muore nel 1890. La madre gestisce un forno di pane alla periferia di Alessandria. Ungaretti compie i suoi studi all'Istituto don Bosco e poi presso l'Ecole Suisse Jacot. Nel 1906 conosce Enrico Pea, a sua volta emigrato, organizzatore della "Baracca rossa", ritrovo internazionale di anarchici frequentato anche da Ungaretti. Diviene molto amico di un compagno di scuola, Moammed Sceab, a cui dedicherà poi una delle sue più famose poesie, *In memoria*. È già di questi anni il suo interesse attivo per la poesia. Scrive i primi versi, legge autori come Leopardi, Baudelaire, Mallarmé, ha contatti epistolari con Prezzolini direttore della « Voce ». Nel 1912 lascia l'Egitto, passa per l'Italia, si reca a Parigi, alla Sorbona continua i suoi studi. Segue lezioni di Bergson al Collège de France. Conosce Apollinaire e artisti d'avanguardia come Picasso, Braque, Léger, De Chirico, Jacob, Modigliani, il poeta Cendrars. Anche Moammed Sceab abita a Parigi, e qui nel 1913 si toglie la vita. Ungaretti incontra nella capitale francese Palazzeschi, Soffici, Papini che gli aprono la collaborazione a « Lacerba »: su questa rivista pubblicherà le sue prime poesie nel 1915. Torna in Italia, in Versilia e poi a Milano dove conosce Carlo Carrà. Interventista, volontario, viene mandato sul fronte del Carso come soldato semplice. Nel 1916 Ettore Serra gli pubblica a Udine, in ottanta esemplari numerati, il primo libro di versi, *Il porto sepolto*. Nel 1918, finita la guerra, va ad abitare a Parigi, dove l'anno seguente pubblica la *plaquette* in francese *La Guerre*, mentre pochi mesi dopo stampa presso Vallecchi *Allegria di naufragi*. Sposa Jeanne Dupoix e nel 1920 si trasferisce a Roma, dove lavora al Ministero degli esteri. Nel 1923, con prefazione di Benito Mussolini, pubblica un'edizione del *Porto sepolto*, comprendente le poesie di *Allegria di naufragi* e le prime di *Sentimento del tempo*. Cinque anni dopo gli nasce la figlia Ninon, nel 1930 il figlio Antonietto; nello stesso anno gli muore la madre. Nel 1931 ripubblica il suo primo libro, questa volta con il titolo definitivo, *L'allegria*. Diventa inviato della « Gazzetta del Popolo », giornale per il quale compirà viaggi in Egitto, Corsica, Olanda. Nel 1933 pubblica, contemporaneamente, presso Novissima a Roma e Vallecchi a Firenze, il suo secondo libro, *Sentimento del tempo*. Da Novissima uscirà anche, nel '36, un quaderno di *Traduzioni* (da Saint-John Perse, Blake, Góngora, Esenin, Paulhan). Va in Sud America, dove l'Università di San Paolo gli offre la cattedra di Lingua e Letteratura italiana. In Brasile vivrà fino al 1942. Nel frattempo gravi lutti segnano la sua vita: la perdita del fratello nel '37 e del figlio Antonietto nel '39, che muore a soli nove anni per un'appendicite mal curata. Questi gravi fatti, con la tragedia della guerra, sono il cuore tematico del suo libro *Il dolore*, che verrà pubblicato nel '47. Intanto, tornato in patria, diventa Accademico d'Italia e professore di Letteratura italiana contemporanea all'Università di Roma. Nel 1942, presso Mondadori, inizia la pubblicazione di tutti i suoi versi: il titolo prescelto è appunto *Vita d'un uomo*. Negli anni che seguono escono le *Poesie disperse* con uno studio di Giuseppe De Robertis e l'apparato critico delle varianti dei suoi due primi libri, *L'allegria* e *Sentimento del tempo*. Dopo la pubblicazione del *Dolore*, e del volume di traduzioni *Da Góngora a Mallarmé*, esce una raccolta di prose, *Il povero nella città*. Seguono *La terra promessa* (1950: ma l'opera ha origine da un progetto successivo al *Sentimento*, non portato più rapidamente a termine per l'insorgere improvviso dei temi che gli avevano imposto *Il dolore*), *Un grido e paesaggi* ('52), *Il taccuino del vecchio* ('60), e il volume di scritti di viaggio *Il deserto e dopo*. Nel '58 gli era intanto morta anche la moglie Jeanne. Altri viaggi e onori degli ultimi anni (ancora in Brasile, in Perù, negli Stati Uniti, in Svezia, Germania; gli è dedicato un numero dei « Cahiers de l'Herne »). Nel '69 inaugura la collezione dei « Meridiani » Mondadori con il volume, curato da Leone Piccioni, *Vita d'un uomo. Tutte le poesie*. Nel 1970, dopo un altro viaggio negli Stati Uniti, muore nella notte tra l'1 e il 2 luglio, all'età di ottantadue anni. Qualche mese prima, nel giorno del suo compleanno, era stata pubblicata la sua ultima poesia, *L'impietrito e il velluto*, in una cartella litografica con illustrazioni di Dorazio.

Le opere

Vita d'un uomo, nella sua semplicità, ma anche nella sua nitida altezza d'intenti, è dunque il titolo complessivo prescelto da Giuseppe Ungaretti per la sua opera. Un'opera che era iniziata nel secondo decennio del secolo, nel segno, al tempo stesso, di una forte spinta innovativa e di una profonda necessità testimoniale che i fatti storici, la guerra in cui si era visto d'improvviso gettato, gli imponevano. Questo, ovviamente sintetizzando, il doppio valore del libro d'esordio, *Il porto sepolto*, divenuto poi, con le aggiunte e il pressoché ininterrotto lavorìo di varianti, *L'allegria*. Un libro di asciutta, elementare, sillabata energia espressiva che riconquista, nel suo rapporto con il silenzio (evidenziato dai versi brevissimi nel bianco della pagina) tutto il valore e il peso, le virtualità della parola poetica. Un libro che costituisce l'esempio di un doloroso attrito dell'uomo con la storia, che esprime, nella nudità dei modi, un profondo sentimento creaturale, una condizione di sopravvivenza faticosamente conquistata giorno per giorno. *L'allegria* parrebbe animata (e lo è, purché di questa tensione si sappia intendere la complessità) dal giovanile desiderio di mandare in frantumi, nell'ansia del nuovo, del moderno, le sicurezze logore della tradizione. E dunque un libro più che mai d'avanguardia. Ma che anche preludeva a una riconquista piena, in proprio, della grande memoria della nostra poesia: filtrata, peraltro, come accade nel *Sentimento del tempo*, attraverso l'esperienza più radicalmente innovativa, e più ricca di suggestioni, della poesia europea dell'epoca moderna: il simbolismo. In questa sua seconda opera, ricomposta l'unità-verso che il lavoro precedente aveva sbriciolato, Ungaretti viene ancora a porsi in posizione di centralità rispetto alla ricerca poetica del suo tempo, introducendo elementi decisivi, nell'arditezza del suo procedere analogico, per quello che sarà il cammino di una delle linee dominanti della nostra poesia del primo mezzo secolo: l'ermetismo.

Uscito anche da questa fase, Ungaretti progettava, come terzo tempo della sua *Vita d'un uomo*, un rapporto ulteriormente consolidato con la tradizione, nel segno di una continuità nuova con il passato e la sua memoria: progettava *La terra promessa*. Ma nella poesia i programmi sono spesso destinati a cadere, o l'attuazione ne viene rinviata dalle cose, dagli eventi. E così, tra la fine degli anni '30 e l'inizio del decennio successivo, Ungaretti trovò sconvolto il suo disegno poetico dal trauma della morte del figlio bambino, e dal precipitare dei fatti nella seconda guerra mondiale.

La scomparsa del piccolo Antonietto gli dettò così un capitolo imprevisto della sua opera, ma anche uno dei momenti più toccanti della sua *Vita d'un uomo*. All'interno di un libro come *Il dolore*, i versi di *Giorno per giorno* costituiscono un esempio in cui la commozione emerge nei momenti più alti ancora una volta in modi di splendida essenzialità. Eppure altrove, nello stesso libro, sono avvertibili le tracce del progetto ungarettiano, con accenti di una nobiltà letteraria o di un barocco molto personalmente inteso, che diverranno pressoché dominanti negli ultimi libri, e che del resto non erano sorti d'improvviso, essendo al contrario già in parte presenti nel *Sentimento*.

L'Ungaretti maggiore può ben dirsi quello dei suoi primi tre capitali libri, seppure nei successivi, più esigui, e saldamente legati l'uno all'altro nelle loro radici, siano presenti punte molto elevate, e più nella direzione di una naturale asciuttezza scolpita di pronuncia che non in quella di un virtuosismo letterario, di un recupero neo-classicistico con venature barocche. Quest'ultimo aspetto è ben ravvisabile proprio nei "frammenti" della *Terra promessa*, e dunque nei *Cori descrittivi di stati d'animo di Didone*, o nella sestina *Recitativo di Palinuro*. In *Un grido e paesaggi*, invece, memoria e circostanze quotidiane tornano a farsi sostanza lirica, riaffiorando anche, in *Gridasti: soffoco*, lo spunto originario del *Dolore* (dove pure questi versi non comparivano, poiché Ungaretti, allora, li aveva giudicati troppo intimi), e dunque la sua violenta emozione. Con *Il taccuino del vecchio*, assorbite le diverse precedenti esperienze, Ungaretti perviene a una meditazione lirica per frammenti, ora mirabilmente lineare e semplice, ora più alta e declamata, sempre nell'esigenza di una rigorosa economia della parola e del verso dove a tratti sembra riaffiorare il poeta dell'*Allegria*.

La fortuna

L'ingresso di Ungaretti nel panorama della nostra poesia è forte e immediato. La nettezza, la piena riconoscibilità della sua voce, sono dati che si affermano da subito, dal *Porto sepolto*, dalla sua rielaborazione e riassunzione nell'*Allegria*. Nata nel clima dell'avanguardia storica europea, avendo presente l'esperienza del nostro futurismo, la piena originalità del primo Ungaretti viene a porsi anche come una ridefinizione nel testo della parola poetica, e dunque come un nuovo inizio. Come ha scritto Gianfranco Contini « la sua poesia verte sulla "parola", e non muove dal discorso in quanto logicamente organizzato. (...) In Ungaretti il discorso nasce successivamente alla parola ». Eppure la frantumazione del verso, e quel frammentismo che l'oggetto-testo espone nella sua forma, non escludono affatto il « discorso ». Quest'ultimo, anzi, ne è la vera struttura, perciò il percorso interno, come dimostra il ricorrere di luoghi tematici e parole chiave, da quello della meraviglia attonita (Fortini: « la tonalità delle lirche dell'*Allegria* è d'una tensione vitale sorpresa di se stessa, sbalordita di poter esistere. "Allibire" è verbo ungarettiano, e non sta a significare spavento quanto rapito stupore »), a quello della fisicità, del cogliere se stesso (che arriva fino al *Taccuino del vecchio*: « Ancora intento mi rinvengo a cogliermi »).

Nel 1917, appena uscito *Il porto sepolto*, Giovanni Papini parlava di quei versi come delle « più care e sollevate poesie che abbia dato la guerra italiana », mentre Giuseppe Prezzolini, l'anno dopo, diceva che « quando, alla fine de "La Voce" vennero dall'Isonzo i frammenti lirici di Ungaretti col nome de *Il porto sepolto* ci parve di trovare la poesia che s'aspettava ». Non tutti, naturalmente, data la portata innovativa, il "rischio", di quella prima poesia ungarettiana, potevano essere d'accordo. Francesco Flora, per esempio, definirà quei testi « una specie di stenografia di poesia interna », aggiungendo che il suo autore era stato caricato « di una responsabilità letteraria che egli non può reggere ». Assai opportune erano state invece le parole del Gargiulo, che nel '24 aveva affermato: « nessuno dei poeti francesi innovatori ha in sé realizzata, quanto da noi l'Ungaretti, quella condizione di "natività" intuitiva, o di liricità pura, che è stata pure nella loro comune aspirazione e, presso i più vigili, il postulato critico supremo ».

Il secondo libro, *Sentimento del tempo*, è stato spesso considerato come un ritorno all'ordine, all'interno di un clima che sembrava richiederlo. In realtà la rimeditazione accanita compiuta da Ungaretti sulla tradizione, accanto all'assunzione decisa dell'analogia, facendo entrare il poeta in una nuova fase, nella complessità di una nuova esperienza poetica e intellettuale, apre ulteriori orizzonti, indica ancora una volta un cammino possibile, traccia le linee, come si diceva, dell'ermetismo. E viene indirettamente a porsi, inoltre, come alto modello lontano di esperienze molto recenti, improntate al recupero di un procedere analogico anche esasperato fino all'oscurismo. Non a caso, sebbene con qualche semplificazione, si è parlato infatti di orfismo e di neo-ermetismo.

A proposito del passaggio dal primo al secondo Ungaretti, Sergio Solmi vedeva nel primo libro la fase « della poesia ingenua, dell'idillio, il momento vergine in cui l'ispirazione si alimenta della fiamma stessa della vita » e nella seconda « l'assunzione dei primi motivi in forme più organiche e complesse, dove è maggiormente riconoscibile l'elemento riflesso e intellettuale ».

Ungaretti, come si può ben capire, è stato un poeta straordinariamente tempestivo, quanto meno in questi due primi fondamentali capitoli della sua opera. Attorno ai quali, in effetti, si sono venute concentrando le maggiori attenzioni. Diverse le vicende e la fortuna dei successivi libri, specie dopo l'ulteriore grande episodio del *Dolore*. Già acquisiti gli stacchi nettissimi dell'*Allegria* e del *Sentimento*, attenuatosi naturalmente l'impulso propositivo di Ungaretti nelle ultime raccolte, l'adesione, e anche la sorpresa, tornavano comunque a manifestarsi in pieno sui frequenti esiti assai alti dei singoli testi.

Bibliografia

Vita d'un uomo compare come titolo generale dell'opera di Giuseppe Ungaretti nel 1942, alla pubblicazione dell'*Allegria* presso Mondadori. Da allora questo titolo ha sempre preceduto quello dei singoli libri. *Vita d'un uomo - Tutte le poesie* esce nel settembre 1969 da Mondadori, nella collezione « I Meridiani », a cura di Leone Piccioni. Nel 1974, nella stessa collana e sempre con il titolo *Vita d'un uomo*, esce anche il volume di *Saggi e interventi* a cura di Mario Diacono e Luciano Rebay. La presente antologia, sotto il titolo *Vita d'un uomo* e il sottotitolo *106 poesie 1914-1960*, è stata curata, vivente Ungaretti, nel 1966, e rappresenta a tutti gli effetti un "numero" importante nella bibliografia: una crestomazia autorizzata dall'autore.

Monografie:

AA.VV., a cura di L. Piccioni, in « La Fiera letteraria », 1953.
G. Cavalli, *Ungaretti*, Fabbri, Roma 1958.
AA.VV., a cura di R. Lucchese, in « Letteratura », 1958.
L. Rebay, *Le origini della poesia di Giuseppe Ungaretti*, Edizioni di Storia e Letteratura, Roma 1962.
F. Portinari, *Ungaretti*, Borla, Torino 1967.
AA.VV, a cura di P. Sanavio, « Cahiers de l'Herne », Parigi 1969.
L. Piccioni, *Vita di un poeta: Giuseppe Ungaretti*, Rizzoli, Milano 1970.

AA.VV., a cura di M. Luzi, *Omaggio a Ungaretti*, « L'Approdo letterario » n. 57, 1972.
AA.VV. *A homage to Giuseppe Ungaretti*, « Forum Italicum », anno VI, n. 2, 1972.
G. Genot, *Sémantique du discours dans "L'Allegria" d'Ungaretti*, Klincksieck, Parigi 1972.
E. Giachery, *Civiltà e parola. Studi ungarettiani*, Argileto, Roma 1974.
G. Luti, *Invito alla lettura di G. Ungaretti*, Mursia, Milano 1974.
C. Ossola, *Giuseppe Ungaretti*, Mursia, Milano 1975 (nuova edizione riveduta e ampliata 1982).
G. Cambon, *La poesia di Ungaretti*, Einaudi, Torino 1976.
E. Chierici - E. Paradisi, *Concordanze dell'Allegria*, Bulzoni, Roma 1977.
S. Demarchi, *Guida allo studio di Ungaretti*, Edinord, Bolzano 1977.
M. Del Serra, *Giuseppe Ungaretti*, La Nuova Italia, Firenze 1977.
F.J. Jones, *Giuseppe Ungaretti poet and critic*, Edimburgo 1977.
F. Signoretti, *Tempo e male. Ungaretti su Leopardi: letteratura e critica*, Argalia, Urbino 1977.
L. Piccioni, *Ungarettiana*, Vallecchi, Firenze 1980.
AA.VV., *Atti del Convegno Internazionale su Giuseppe Ungaretti*, Quattroventi, Urbino 1981.
AA.VV. *Ungaretti e la cultura romana. Atti del convegno 13-14 novembre 1980*, Bulzoni, Roma 1983.
M. Petrucciani, *Il condizionale di Didone*, ESI, Napoli 1985.
Guido Guglielmi, *Interpretazione di Ungaretti*, Il Mulino, Bologna 1989.
M. Forti, *Ungaretti girovago e classico*, Scheiwiller, Milano 1991.

Studi e recensioni:

G. Papini, in « Il resto del Carlino », 4 febbraio 1917.
G. Prezzolini, in « Il popolo d'Italia », 28 maggio 1918.
G. De Robertis, in « Il progresso », novembre 1919.
A.E. Saffi, in « La Ronda », novembre 1919.
A. Soffici, in « Rete mediterranea », marzo 1920.
A. Savinio, in « La vraie Italie », maggio 1920.
E. Cecchi, in « La tribuna », 25 luglio 1923.
G. Debenedetti, in « Orizzonte italico », gennaio 1923.
B. Crémieux, in « Nouvelle Revue Française », marzo 1924.
A. Gargiulo, in « Il Convegno », X-XII, 1924 (i suoi saggi su Ungaretti sono poi raccolti in *Letteratura italiana del Novecento*, Le Monnier, Firenze 1940).

P. Pancrazi, in *Scrittori italiani del '900*, Laterza, Bari 1924.
L. Anceschi, in «Cronache latine», 20 febbraio 1931.
G. Contini, *Ungaretti o dell'Allegria*, in «Rivista Rosminiana», ottobre-dicembre 1932 (poi in *Esercizi di lettura*, Parenti, Firenze, 1939, ed. def. Einaudi, Torino 1974, comprendente anche *Materiali sul "secondo" Ungaretti*, uscito in «Italia letteraria» il 9 luglio 1933 e *Su Ungaretti francese*, uscito in «Circoli», maggio 1939.)
G. De Robertis, *L'Allegria* (poi in *Scrittori del Novecento*, dove sono raccolti i suoi scritti su Ungaretti, Le Monnier, Firenze 1940).
C. Betocchi, in «Frontespizio», agosto 1933.
A. Gargiulo, intr. a *Sentimento del tempo*, Vallecchi, Firenze 1933.
F. Flora, in *La poesia ermetica*, Laterza, Bari 1936.
C. Bo, in *Otto studi*, Vallecchi, Firenze 1939.
A. Gatto, in «Tempo», 26 settembre 1940.
O. Macrì, in *Esemplari del sentimento poetico contemporaneo*, Vallecchi, Firenze 1941.
G. De Robertis, pref. a *Poesie disperse*, Mondadori, Milano 1945.
G. Pampaloni, in «Belfagor», 31 marzo 1948.
E. Cecchi, in «La Fiera letteraria», 1 novembre 1952.
P. Bigongiari, in *Un grido e paesaggi* di Ungaretti, Mondadori, Milano 1954.
M. Petrucciani, in *La poetica dell'ermetismo italiano*, Loescher, Torino 1955.
G. Spagnoletti, in *Tre poeti del Novecento*, Eri, Torino 1955.
E.F. Accrocca, in *Ritratti su misura*, Sodalizio del libro, Venezia 1960.
E. Falqui, in *Novecento letterario*, vol. II, Vallecchi, Firenze 1960.
P.P. Pasolini, in *Passione e ideologia*, Garzanti, Milano 1960.
L. Anceschi, in *Barocco e Novecento*, Rusconi e Paolazzi, Milano 1960.
E. Sanguineti, in *Tra liberty e crepuscolarismo*, Mursia, Milano 1961.
L. Anceschi, in *Le poetiche del Novecento in Italia*, Marzorati, Milano 1962; Paravia, Milano 1972; Marsilio, Padova 1990.
G. Pozzi, *Giuseppe Ungaretti*, in *La poesia italiana del Novecento*, Einaudi, Torino 1965.
C. Bo, *La nuova poesia*, in *Storia della Letteratura Italiana*, diretta da E. Cecchi e N. Sapegno, vol. IX, Garzanti, Milano 1969.
A. Noferi, in *Le poetiche novecentesche*, Le Monnier, Firenze 1970.
G. Raboni, *L'attesa di senso*, in «Paragone», aprile 1971, poi in *Poesia degli anni Sessanta*, Editori Riuniti, Roma 1976.

M. Forti, in *Le proposte della poesia e nuove proposte*, Mursia, Milano 1971.
S. Agosti, in *Il testo poetico*, Rizzoli, Milano 1972.
A. Zanzotto, *Ungaretti*, in AA.VV. *Dizionario critico della letteratura italiana*, vol. II, UTET, Torino 1973.
G. Debenedetti, in *Poesia italiana del Novecento*, Garzanti, Milano 1974.
G.L. Beccaria, in *L'autonomia del significante*, Einaudi, Torino, 1975.
P.V. Mengaldo, in *La tradizione del Novecento*, Feltrinelli, Milano 1975.
S. Ramat, in *Storia della poesia del Novecento*, Mursia, Milano 1976.
S. Antonielli, *La "patria fruttuosa" di Giuseppe Ungaretti*, in *Letteratura e critica. Studi in onore di Natalino Sapegno*, Bulzoni, Roma 1977, poi in *Letteratura del disagio*, Edizioni di Comunità, Milano 1984.
F. Fortini, in *I poeti del Novecento*, Laterza, Bari 1977.
M. Luzi, *Ungaretti e la tradizione* in *Discorso naturale*, Garzanti, Milano 1984.
G. Quiriconi, *Ungaretti tra vissuto e parola*, in *I miraggi, le tracce*, Jaca Book, Milano 1989.
A. Zanzotto, in *Fantasie di avvicinamento*, Mondadori, Milano 1991.

L'allegria
1914-1919

Ultime

Milano 1914-1915

Eterno

Tra un fiore colto e l'altro donato
l'inesprimibile nulla

Noia

Anche questa notte passerà

Questa solitudine in giro
titubante ombra dei fili tranviari
sull'umido asfalto

Guardo le teste dei brumisti
nel mezzo sonno
tentennare

Levante

La linea
vaporosa muore
al lontano cerchio del cielo

Picchi di tacchi picchi di mani
e il clarino ghirigori striduli
e il mare è cenerino
trema dolce inquieto
come un piccione

A poppa emigranti soriani ballano

A prua un giovane è solo

Di sabato sera a quest'ora
Ebrei
laggiú
portano via
i loro morti
nell'imbuto di chiocciola
tentennamenti
di vicoli
di lumi

Confusa acqua
come il chiasso di poppa che odo
dentro l'ombra
del
sonno

Nasce forse

C'è la nebbia che ci cancella

Nasce forse un fiume quassú

Ascolto il canto delle sirene
del lago dov'era la città

Ricordo d'Affrica

Il sole rapisce la città

Non si vede piú

Neanche le tombe resistono molto

resist/withstand

rapire - (to rob, steal, plunder)
↳ enrapture, entrance, enravish.

Notte di maggio

Il cielo pone in capo
ai minareti tower on a mosque
ghirlande di lumini

ghirlanda – wreath, garland

In galleria

Un occhio di stelle
ci spia da quello stagno
e filtra la sua benedizione ghiacciata
su quest'acquario — aquarium
di sonnambula noia

Stagno — 1. tin
2. Pond, pool

Chiaroscuro

Anche le tombe sono scomparse vanished, lost

Spazio nero infinito calato
da questo balcone
al cimitero

Mi è venuto a ritrovare
il mio compagno arabo
che s'è ucciso l'altra sera

Rifà giorno remake, rebuild, grow again

Tornano le tombe
appiattate nel verde tetro gloomy, dismal
delle ultime oscurità
nel verde torbido cloudy, muddy
del primo chiaro brightness, luminosity

appiattarsi – to crouch, hide
appiattire – to level, flatten

Il porto sepolto

In memoria
Locvizza il 30 settembre 1910

Si chiamava
Moammed Sceab

Discendente
di emiri di nomadi
suicida
perché non aveva piú
Patria

Amò la Francia
e mutò nome

Fu Marcel
ma non era Francese
e non sapeva piú
vivere
nella tenda dei suoi
dove si ascolta la cantilena
del Corano
gustando un caffè

E non sapeva
sciogliere
il canto
del suo abbandono

L'ho accompagnato
insieme alla padrona dell'albergo
dove abitavamo
a Parigi
dal numero 5 della rue des Carmes
appassito vicolo in discesa

Riposa
nel camposanto d'Ivry
sobborgo che pare
sempre
in una giornata
di una
decomposta fiera

E forse io solo
so ancora
che visse

Lindoro di deserto

Cima Quattro il 22 dicembre 1915

Dondolo di ali in fumo
mozza il silenzio degli occhi

Col vento si spippola il corallo
di una sete di baci

Allibisco all'alba

Mi si travasa la vita
in un ghirigoro di nostalgie

Ora specchio i punti di mondo
che avevo compagni
e fiuto l'orientamento

Sino alla morte in balia del viaggio

Abbiamo le soste di sonno

Il sole spegne il pianto

Mi copro di un tepido manto
di lind'oro

Da questa terrazza di desolazione
in braccio mi sporgo
al buon tempo

Veglia
Cima Quattro il 23 dicembre 1915

Un'intera nottata
buttato vicino
a un compagno
massacrato
con la sua bocca
digrignata
volta al plenilunio
con la congestione
delle sue mani
penetrata
nel mio silenzio
ho scritto
lettere piene d'amore

Non sono mai stato
tanto
attaccato alla vita

Stasera

Versa il 22 maggio 1916

Balaustrata di brezza
per appoggiare stasera
la mia malinconia

Silenzio
Mariano il 27 giugno 1916

Conosco una città
che ogni giorno s'empie di sole
e tutto è rapito in quel momento

Me ne sono andato una sera

Nel cuore durava il limio
delle cicale

Dal bastimento
verniciato di bianco
ho visto
la mia città sparire
lasciando
un poco
un abbraccio di lumi nell'aria torbida
sospesi

Peso
Mariano il 29 giugno 1916

Quel contadino
si affida alla medaglia
di Sant'Antonio
e va leggero

Ma ben sola e ben nuda
senza miraggio
porto la mia anima

Fratelli
Mariano il 15 luglio 1916

Di che reggimento siete
fratelli?

Parola tremante
nella notte

Foglia appena nata

Nell'aria spasimante
involontaria rivolta
dell'uomo presente alla sua
fragilità

Fratelli

C'era una volta
Quota Centoquarantuno l'1 agosto 1916

Bosco Cappuccio
ha un declivio
di velluto verde
come una dolce
poltrona

Appisolarmi là
solo
in un caffè remoto
con una luce fievole
come questa
di questa luna

Sono una creatura

Valloncello di Cima Quattro il 5 agosto 1916

Come questa pietra
del S. Michele
cosí fredda
cosí dura
cosí prosciugata
cosí refrattaria
cosí totalmente
disanimata

Come questa pietra
è il mio pianto
che non si vede

La morte
si sconta
vivendo

In dormiveglia

Valloncello di Cima Quattro il 6 agosto 1916

Assisto la notte violentata

L'aria è crivellata
come una trina
dalle schioppettate
degli uomini
ritratti
nelle trincee
come le lumache nel loro guscio

Mi pare
che un affannato
nugolo di scalpellini
batta il lastricato
di pietra di lava
delle mie strade
ed io l'ascolti
non vedendo
in dormiveglia

I fiumi

Cotici il 16 agosto 1916

Mi tengo a quest'albero mutilato
abbandonato in questa dolina
che ha il languore
di un circo
prima o dopo lo spettacolo
e guardo
il passaggio quieto
delle nuvole sulla luna

Stamani mi sono disteso
in un'urna d'acqua
e come una reliquia
ho riposato

L'Isonzo scorrendo
mi levigava
come un suo sasso

Ho tirato su
le mie quattr'ossa
e me ne sono andato
come un acrobata
sull'acqua

Mi sono accoccolato

vicino ai miei panni
sudici di guerra
e come un beduino
mi sono chinato a ricevere
il sole

Questo è l'Isonzo
e qui meglio
mi sono riconosciuto
una docile fibra
dell'universo

Il mio supplizio
è quando
non mi credo
in armonia

Ma quelle occulte
mani
che m'intridono
mi regalano
la rara
felicità

Ho ripassato
le epoche
della mia vita

Questi sono
i miei fiumi

Questo è il Serchio
al quale hanno attinto
duemil'anni forse

di gente mia campagnola
e mio padre e mia madre

Questo è il Nilo
che mi ha visto
nascere e crescere
e ardere d'inconsapevolezza
nelle estese pianure

Questa è la Senna
e in quel suo torbido
mi sono rimescolato
e mi sono conosciuto

Questi sono i miei fiumi
contati nell'Isonzo

Questa è la mia nostalgia
che in ognuno
mi traspare
ora ch'è notte
che la mia vita mi pare
una corolla
di tenebre

Pellegrinaggio

Valloncello dell'Albero Isolato il 16 agosto 1916

In agguato
in queste budella
di macerie
ore e ore
ho strascicato
la mia carcassa
usata dal fango
come una suola
o come un seme
di spinalba

Ungaretti
uomo di pena
ti basta un'illusione
per farti coraggio

Un riflettore
di là
mette un mare
nella nebbia

Monotonia
Valloncello dell'Albero Isolato il 22 agosto 1916

Fermato a due sassi
languisco
sotto questa
volta appannata
di cielo

Il groviglio dei sentieri
possiede la mia cecità

Nulla è piú squallido
di questa monotonia

Una volta
non sapevo
ch'è una cosa
qualunque
perfino
la consunzione serale
del cielo

E sulla mia terra affricana
calmata
a un arpeggio
perso nell'aria
mi rinnovavo

La notte bella
Devetachi il 24 agosto 1916

Quale canto s'è levato stanotte
che intesse
di cristallina eco del cuore
le stelle

Quale festa sorgiva
di cuore a nozze

Sono stato
uno stagno di buio

Ora mordo
come un bambino la mammella
lo spazio

Ora sono ubriaco
d'universo

Universo
Devetachi il 24 agosto 1916

Col mare
mi sono fatto
una bara
di freschezza

Sonnolenza

Da Devetachi al San Michele il 25 agosto 1916

Questi dossi di monti
si sono coricati
nel buio delle valli

Non c'è piú niente
che un gorgoglio
di grilli che mi raggiunge

E s'accompagna
alla mia inquietudine

San Martino del Carso

Valloncello dell'Albero Isolato il 27 agosto 1916

Di queste case
non è rimasto
che qualche
brandello di muro

Di tanti
che mi corrispondevano
non è rimasto
neppure tanto

Ma nel cuore
nessuna croce manca

È il mio cuore
il paese piú straziato

Distacco
Locvizza il 24 settembre 1916

Eccovi un uomo
uniforme

Eccovi un'anima
deserta
uno specchio impassibile

M'avviene di svegliarmi
e di congiungermi
e di possedere

Il raro bene che mi nasce
cosí piano mi nasce

E quando ha durato
cosí insensibilmente s'è spento

Italia
Locvizza l'1 ottobre 1916

Sono un poeta
un grido unanime
sono un grumo di sogni

Sono un frutto
d'innumerevoli contrasti d'innesti
maturato in una serra

Ma il tuo popolo è portato
dalla stessa terra
che mi porta
Italia

E in questa uniforme
di tuo soldato
mi riposo
come fosse la culla
di mio padre

Commiato
Locvizza il 2 ottobre 1916

Gentile
Ettore Serra
poesia
è il mondo l'umanità
la propria vita
fioriti dalla parola
la limpida meraviglia
di un delirante fermento

Quando trovo
in questo mio silenzio
una parola
scavata è nella mia vita
come un abisso

Naufragi

Allegria di naufragi

Versa il 14 febbraio 1917

E subito riprende
il viaggio
come
dopo il naufragio
un superstite
lupo di mare

Natale
Napoli il 26 dicembre 1916

Non ho voglia
di tuffarmi
in un gomitolo
di strade

Ho tanta
stanchezza
sulle spalle

Lasciatemi cosí
come una
cosa
posata
in un
angolo
e dimenticata

Qui
non si sente
altro
che il caldo buono

Sto
con le quattro
capriole
di fumo
del focolare

Dolina notturna
Napoli il 26 dicembre 1916

Il volto
di stanotte
è secco
come una
pergamena

Questo nomade
adunco
morbido di neve
si lascia
come una foglia
accartocciata

L'interminabile
tempo
mi adopera
come un
fruscio

Mattina

Santa Maria La Longa il 26 gennaio 1917

M'illumino
d'immenso

Dormire

Santa Maria La Longa il 26 gennaio 1917

Vorrei imitare
questo paese
adagiato
nel suo camice
di neve

adagiare — 1. to lay (down) carefully, set down gently
2.) to yield, abandon (o.s. to), sink into
lie, stretch out

Lontano

Versa il 15 febbraio 1917

Lontano lontano
come un cieco
m'hanno portato per mano

Godimento

Versa il 18 febbraio 1917

Mi sento la febbre
di questa
piena di luce

Accolgo questa
giornata come
il frutto che si addolcisce

Avrò
stanotte
un rimorso come un
latrato
perso nel
deserto

Un'altra notte
Vallone il 20 aprile 1917

In quest'oscuro
colle mani
gelate
distinguo
il mio viso

Mi vedo
abbandonato nell'infinito

Giugno
Campolongo il 5 luglio 1917

Quando
mi morirà
questa notte
e come un altro
potrò guardarla
e mi addormenterò
al fruscio
delle onde
che finiscono
di avvoltolarsi
alla cinta di gaggie
della mia casa

Quando mi risveglierò
nel tuo corpo
che si modula
come la voce dell'usignolo

Si estenua
come il colore
rilucente
del grano maturo

Nella trasparenza
dell'acqua
l'oro velino

della tua pelle
si brinerà di moro

Librata
dalle lastre
squillanti
dell'aria sarai
come una
pantera

Ai tagli
mobili
dell'ombra
ti sfoglierai

Ruggendo
muta in
quella polvere
mi soffocherai

Poi
socchiuderai le palpebre

Vedremo il nostro amore reclinarsi
come sera

Poi vedrò
rasserenato
nell'orizzonte di bitume
delle tue iridi morirmi
le pupille

Ora
il sereno è chiuso

come
a quest'ora
nel mio paese d'Affrica
i gelsumini

Ho perso il sonno

Oscillo
al canto d'una strada
come una lucciola

Mi morirà
questa notte?

Rose in fiamme
Vallone il 17 agosto 1917

Su un oceano
di scampanellii
repentina
galleggia un'altra mattina

Vanità

Vallone il 19 agosto 1917

D'improvviso
è alto
sulle macerie
il limpido
stupore
dell'immensità

E l'uomo
curvato
sull'acqua
sorpresa
dal sole
si rinviene
un'ombra

Cullata e
piano
franta

Girovago

Girovago
Campo di Mailly maggio 1918

In nessuna
parte
di terra
mi posso
accasare

A ogni
nuovo
clima
che incontro
mi trovo
languente
che
una volta
già gli ero stato
assuefatto

E me ne stacco sempre
straniero

Nascendo
tornato da epoche troppo
vissute

Godere un solo

minuto di vita
iniziale

Cerco un paese
innocente

Sereno
Bosco di Courton luglio 1918

Dopo tanta
nebbia
a una
a una
si svelano
le stelle

Respiro
il fresco
che mi lascia
il colore del cielo

Mi riconosco
immagine
passeggera

Presa in un giro
immortale

Soldati

Bosco di Courton luglio 1918

Si sta come
d'autunno
sugli alberi
le foglie

Prime

Parigi-Milano 1919

Un sogno solito

Il Nilo ombrato
le belle brune
vestite d'acqua
burlanti il treno

Fuggiti

Lucca

A casa mia, in Egitto, dopo cena, recitato il rosario, mia madre ci parlava di questi posti.
La mia infanzia ne fu tutta meravigliata.
La città ha un traffico timorato e fanatico.
In queste mura non ci si sta che di passaggio.
Qui la meta è partire.
Mi sono seduto al fresco sulla porta dell'osteria con della gente che mi parla di California come d'un suo podere.
Mi scopro con terrore nei connotati di queste persone.
Ora lo sento scorrere caldo nelle mie vene, il sangue dei miei morti.
Ho preso anch'io una zappa.
Nelle cosce fumanti della terra mi scopro a ridere.
Addio desideri, nostalgie.
So di passato e d'avvenire quanto un uomo può saperne.
Conosco ormai il mio destino, e la mia origine.
Non mi rimane piú nulla da profanare, nulla da sognare.
Ho goduto di tutto, e sofferto.
Non mi rimane che rassegnarmi a morire.
Alleverò dunque tranquillamente una prole.

Quando un appetito maligno mi spingeva negli amori mortali, lodavo la vita.
Ora che considero, *anch'io*, l'amore come una garanzia della specie, ho in vista la morte.

Preghiera

Quando mi desterò
dal barbaglio della promiscuità
in una limpida e attonita sfera

Quando il mio peso mi sarà leggero

Il naufragio concedimi Signore
di quel giovane giorno al primo grido

Sentimento del tempo
1919-1935

Prime

O notte
1919

Dall'ampia ansia dell'alba
Svelata alberatura.

Dolorosi risvegli.

Foglie, sorelle foglie,
Vi ascolto nel lamento.

Autunni,
Moribonde dolcezze.

O gioventú,
Passata è appena l'ora del distacco.

Cieli alti della gioventú,
Libero slancio.

E già sono deserto.

Perso in questa curva malinconia

Ma la notte sperde le lontananze.

Oceanici silenzi,
Astrali nidi d'illusione,

O notte.

Paesaggio
1920

Mattina
Ha una corona di freschi pensieri,
Splende nell'acqua fiorita.

Meriggio
Le montagne si sono ridotte a deboli fumi e l'invadente deserto formicola d'impazienze e anche il sonno turba e anche le statue si turbano.

Sera
Mentre infiammandosi s'avvede ch'è nuda, il florido carnato nel mare fattosi verde bottiglia, non è piú che madreperla.
Quel moto di vergogna delle cose svela per un momento, dando ragione dell'umana malinconia, il consumarsi senza fine di tutto.

Notte
Tutto si è esteso, si è attenuato, si è confuso.
Fischi di treni partiti.
Ecco appare, non essendoci piú testimoni, anche il mio vero viso, stanco e deluso.

Silenzio in Liguria

1922

Scade flessuosa la pianura d'acqua.

Nelle sue urne il sole
Ancora segreto si bagna.

Una carnagione lieve trascorre.

Ed ella apre improvvisa ai seni
La grande mitezza degli occhi.

L'ombra sommersa delle rocce muore.

Dolce sbocciata dalle anche ilari,
Il vero amore è una quiete accesa,

E la godo diffusa
Dall'ala alabastrina
D'una mattina immobile.

Ricordo d'Affrica
1924

Non piú ora tra la piana sterminata
E il largo mare m'apparterò, né umili
Di remote età, udrò piú sciogliersi, chiari,
Nell'aria limpida, squilli; né piú
Le grazie acerbe andrà nudando
E in forme favolose esalterà
Folle la fantasia,
Né dal rado palmeto Diana apparsa
In agile abito di luce,
Rincorrerò
(In un suo gelo altiera s'abbagliava,
Ma le seguiva gli occhi nel posarli
Arroventando disgraziate brame,
Per sempre
Infinito velluto).

È solo linea vaporosa il mare
Che un giorno germogliò rapace,
E nappo d'un miele, non piú gustato
Per non morire di sete, mi pare
La piana, e a un seno casto, Diana vezzo
D'opali, ma nemmeno d'invisibile
Non palpita.

Ah! questa è l'ora che annuvola e smemora.

La fine di Crono

L'isola
1925

A una proda ove sera era perenne
Di anziane selve assorte, scese,
E s'inoltrò
E lo richiamò rumore di penne
Ch'erasi sciolto dallo stridulo
Batticuore dell'acqua torrida,
E una larva (languiva
E rifioriva) vide;
Ritornato a salire vide
Ch'era una ninfa e dormiva
Ritta abbracciata a un olmo.

In sé da simulacro a fiamma vera
Errando, giunse a un prato ove
L'ombra negli occhi s'addensava
Delle vergini come
Sera appiè degli ulivi;
Distillavano i rami
Una pioggia pigra di dardi,
Qua pecore s'erano appisolate
Sotto il liscio tepore,
Altre brucavano
La coltre luminosa;
Le mani del pastore erano un vetro
Levigato da fioca febbre.

Lago luna alba notte
1927

Gracili arbusti, ciglia
Di celato bisbiglio...

Impallidito livore rovina...

Un uomo, solo, passa
Col suo sgomento muto...

Conca lucente,
Trasporti alla foce del sole!

Torni ricolma di riflessi, anima,
E ritrovi ridente
L'oscuro...

Tempo, fuggitivo tremito...

Inno alla morte
1925

Amore, mio giovine emblema,
Tornato a dorare la terra,
Diffuso entro il giorno rupestre,
È l'ultima volta che miro
(Appiè del botro, d'irruenti
Acque sontuoso, d'antri
Funesto) la scia di luce
Che pari alla tortora lamentosa
Sull'erba svagata si turba.

Amore, salute lucente,
Mi pesano gli anni venturi.

Abbandonata la mazza fedele,
Scivolerò nell'acqua buia
Senza rimpianto.

Morte, arido fiume...

Immemore sorella, morte,
L'uguale mi farai del sogno
Baciandomi.

Avrò il tuo passo,
Andrò senza lasciare impronta.

Mi darai il cuore immobile

D'un iddio, sarò innocente,
Non avrò piú pensieri né bontà.

Colla mente murata,
Cogli occhi caduti in oblio,
Farò da guida alla felicità.

Notte di marzo
1927

Luna impudica, al tuo improvviso lume
Torna, quell'ombra dove Apollo dorme,
A trasparenze incerte.

Il sogno riapre i suoi occhi incantevoli,
Splende a un'alta finestra.

Gli voli un desiderio,
Quando toccato avrà la terra,
Incarnerà la sofferenza.

Di luglio
1931

Quando su ci si butta lei,
Si fa d'un triste colore di rosa
Il bel fogliame.

Strugge forre, beve fiumi,
Macina scogli, splende,
È furia che s'ostina, è l'implacabile,
Sparge spazio, acceca mete,
È l'estate e nei secoli
Con i suoi occhi calcinanti
Va della terra spogliando lo scheletro.

Giunone
1931

Tonda quel tanto che mi dà tormento,
La tua coscia distacca di sull'altra...

Dilati la tua furia un'acre notte!

D'agosto
1925

Avido lutto ronzante nei vivi,

Monotono altomare,
Ma senza solitudine,

Repressi squilli da prostrate messi,

Estate,

Sino ad orbite ombrate spolpi selci,

Risvegli ceneri nei colossei...

Quale Erebo t'urlò?

Un lembo d'aria
1925

Si muova un lembo d'aria...

Spicchi, serale come sull'abbaglio
Visciole, avida spalla...

Ogni grigio
1925

Dalla spoglia di serpe
Alla pavida talpa
Ogni grigio si gingilla sui duomi...

Come una prora bionda
Di stella in stella il sole s'accomiata
E s'acciglia sotto la pergola...

Come una fronte stanca
È riapparsa la notte
Nel cavo d'una mano...

Lido
1925

L'anima dissuade l'aspetto
Di gracili arbusti sul ciglio
D'insidiosi bisbigli.

Conca lucente che all'anima ignara
Il muto sgomento rovini
E porti la salma vana
Alla foce dell'astro, freddo,
Anima ignara che torni dall'acqua
E ridente ritrovi
L'oscuro,

Finisce l'anno in quel tremito.

Pari a sé
1925

Va la nave, sola
Nella quiete della sera.

Qualche luce appare
Di lontano, dalle case.

Nell'estrema notte
Va in fumo a fondo il mare.

Resta solo, pari a sé,
Uno scroscio che si perde...

Si rinnova...

Sogni e accordi

Eco
1927

Scalza varcando da sabbie lunari,
Aurora, amore festoso, d'un'eco
Popoli l'esule universo e lasci
Nella carne dei giorni,
Perenne scia, una piaga velata.

Ultimo quarto
1927

Luna,
Piuma di cielo,
Cosí velina,
Arida,
Trasporti il murmure d'anime spoglie?

E alla pallida che diranno mai
Pipistrelli dai ruderi del teatro,
In sogno quelle capre,
E fra arse foglie come in fermo fumo
Con tutto il suo sgolarsi di cristallo
Un usignuolo?

Aura
1927

Udendo il cielo
Spada mattutina,
E il monte che gli sale in grembo,
Torno all'usato accordo.

Ai piedi stringe la salita
Un albereto stanco.

Dalla grata dei rami
Rivedo voli nascere...

Fonte
1927

Il cielo ha troppo già languito
E torna a splendere
E di pupille semina la fonte.

Risorta vipera,
Idolo snello, fiume giovinetto,
Anima, estate tornata di notte,
Il cielo sogna.

Prega, amo udirti,
Tomba mutevole.

Due note
1927

Inanella erbe un rivolo,

Un lago torvo il cielo glauco offende.

Di sera
1928

Nelle onde sospirose del tuo nudo
Il mistero rapisci. Sorridendo,

Nulla, sospeso il respiro, piú dolce
Che udirti consumarmi
Nel sole moribondo
L'ultimo fiammeggiare d'ombra, terra!

Rosso e azzurro

1928

Ho atteso che vi alzaste,
Colori dell'amore,
E ora svelate un'infanzia di cielo

Porge la rosa piú bella sognata.

Quiete
1929

L'uva è matura, il campo arato,

Si stacca il monte dalle nuvole.

Sui polverosi specchi dell'estate
Caduta è l'ombra,

Tra le dita incerte
Il loro lume è chiaro,
E lontano.

Colle rondini fugge
L'ultimo strazio.

Sereno
1929

Arso tutto ha l'estate.

Ma torni un dito d'ombra,
Ritrova il rosolaccio sangue,
E di luna, la voce che si sgrana
I canneti propaga.

Muore il timore e la pietà.

Sera
1929

Appiè dei passi della sera
Va un'acqua chiara
Colore dell'uliva,

E giunge al breve fuoco smemorato.

Nel fumo ora odo grilli e rane,

Dove tenere tremano erbe.

Leggende

Il Capitano
1929

Fui pronto a tutte le partenze.

Quando hai segreti, notte hai pietà.

Se bimbo mi svegliavo
Di soprassalto, mi calmavo udendo
Urlanti nell'assente via,
Cani randagi. Mi parevano
Piú del lumino alla Madonna
Che ardeva sempre in quella stanza,
Mistica compagnia.

E non ad un rincorrere
Echi d'innanzi nascita,
Mi sorpresi con cuore, uomo?

Ma quando, notte, il tuo viso fu nudo
E buttato sul sasso
Non fui che fibra d'elementi,
Pazza, palese in ogni oggetto,
Era schiacciante l'umiltà.

Il Capitano era sereno.

(Venne in cielo la luna)

Era alto e mai non si chinava.

(Andava su una nube)

Nessuno lo vide cadere,
Nessuno l'udì rantolare,
Riapparve adagiato in un solco,
Teneva le mani sul petto.

Gli chiusi gli occhi.

(La luna è un velo)

Parve di piume.

Primo amore
1929

Era una notte urbana,
Rosea e sulfurea era la poca luce
Dove, come da un muoversi dell'ombra,
Pareva salisse la forma.

Era una notte afosa
Quando improvvise vidi zanne viola
In un'ascella che fingeva pace.

Da quella notte nuova ed infelice
E dal fondo del mio sangue straniato
Schiavo loro mi fecero segreti.

La madre
1930

E il cuore quando d'un ultimo battito
Avrà fatto cadere il muro d'ombra,
Per condurmi, Madre, sino al Signore,
Come una volta mi darai la mano.

In ginocchio, decisa,
Sarai una statua davanti all'Eterno,
Come già ti vedeva
Quando eri ancora in vita.

Alzerai tremante le vecchie braccia,
Come quando spirasti
Dicendo: Mio Dio, eccomi.

E solo quando m'avrà perdonato,
Ti verrà desiderio di guardarmi.

Ricorderai d'avermi atteso tanto,
E avrai negli occhi un rapido sospiro.

1914-1915

1932

Ti vidi, Alessandria,
Friabile sulle tue basi spettrali
Diventarmi ricordo
In un abbraccio sospeso di lumi.

Da poco eri fuggita e non rimpiansi
L'alga che blando vomita il tuo mare,
Che ai sessi smanie d'inferno tramanda.
Né l'infinito e sordo plenilunio
Delle aride sere che t'assediano,
Né, in mezzo ai cani urlanti,
Sotto una cupa tenda
Amori e sonni lunghi sui tappeti.

Sono d'un altro sangue e non ti persi,
Ma in quella solitudine di nave
Piú dell'usato tornò malinconica
La delusione che tu sia, straniera,
La mia città natale.

A quei tempi, come eri strana, Italia,
E mi sembrasti una notte piú cieca
Delle lasciate giornate accecanti.

Ma il dubbio, ebbro colore di perla,
Come avviene nelle ore di tempesta
Spuntò adagio ai limiti,

E s'era appena messo a serpeggiare
Che aurora già soffiava sulla brace.

Chiara Italia, parlasti finalmente
Al figlio d'emigranti.

Vedeva per la prima volta i monti
Consueti agli occhi e ai sogni
Di tutti i suoi defunti;
Sciamare udiva voci appassionate
Nelle gole granitiche;
Gli scoprivi boschiva la tua notte;
Guizzi d'acque pudiche,
Specchi tornavano di fiere origini;
Neve vedeva per la prima volta,
In ultimi virgulti ormai taglienti
Che orlavano la luce delle vette
E ne legavano gli ampi discorsi
Tra viti, qualche cipresso, gli ulivi,
I fumi delle casipole sparse,
Per la calma dei campi seminati
Giú giú sino agli orizzonti d'oceani
Assopiti in pescatori alle vele,
Spiegate, pronte in un leggiadro seno.

Mi destavi nel sangue ogni tua età,
M'apparivi tenace, umana, libera
E sulla terra il vivere piú bello.

Colla grazia fatale dei millenni
Riprendendo a parlare ad ogni senso,
Patria fruttuosa, rinascevi prode,
Degna che uno per te muoia d'amore.

Inni

La pietà
1928

1
Sono un uomo ferito.

E me ne vorrei andare
E finalmente giungere,
Pietà, dove si ascolta
L'uomo che è solo con sé.

Non ho che superbia e bontà.

E mi sento esiliato in mezzo agli uomini.

Ma per essi sto in pena.

Non sarei degno di tornare in me?

Ho popolato di nomi il silenzio.

Ho fatto a pezzi cuore e mente
Per cadere in servitú di parole?

Regno sopra fantasmi.

O foglie secche,
Anima portata qua e là...

No, odio il vento e la sua voce
Di bestia immemorabile.

Dio, coloro che t'implorano
Non ti conoscono piú che di nome?

M'hai discacciato dalla vita.

Mi discaccerai dalla morte?

Forse l'uomo è anche indegno di sperare.

Anche la fonte del rimorso è secca?

Il peccato che importa,
Se alla purezza non conduce piú.

La carne si ricorda appena
Che una volta fu forte.

È folle e usata, l'anima.

Dio, guarda la nostra debolezza.

Vorremmo una certezza.

Di noi nemmeno piú ridi?

E compiangici dunque, crudeltà.

Non ne posso piú di stare murato
Nel desiderio senza amore.

Una traccia mostraci di giustizia.

La tua legge qual è?

Fulmina le mie povere emozioni,

Liberami dall'inquietudine.
Sono stanco di urlare senza voce.

2

Malinconiosa carne
Dove una volta pullulò la gioia,
Occhi socchiusi del risveglio stanco,
Tu vedi, anima troppo matura,
Quel che sarò, caduto nella terra?

È nei vivi la strada dei defunti,

Siamo noi la fiumana d'ombre,

Sono esse il grano che ci scoppia in sogno,

Loro è la lontananza che ci resta,

E loro è l'ombra che dà peso ai nomi.

La speranza d'un mucchio d'ombra
E null'altro è la nostra sorte?

E tu non saresti che un sogno, Dio?

Almeno un sogno, temerari,
Vogliamo ti somigli.

È parto della demenza piú chiara.

Non trema in nuvole di rami
Come passeri di mattina

Al filo delle palpebre.

in noi sta e langue, piaga misteriosa.

3

La luce che ci punge
È un filo sempre piú sottile.

Piú non abbagli tu, se non uccidi?

Dammi questa gioia suprema.

4

L'uomo, monotono universo,
Crede allargarsi i beni
E dalle sue mani febbrili
Non escono senza fine che limiti.

Attaccato sul vuoto
Al suo filo di ragno,
Non teme e non seduce
Se non il proprio grido.

Ripara il logorio alzando tombe,
E per pensarti, Eterno,
Non ha che le bestemmie.

Dannazione
1931

Come il sasso aspro del vulcano,
Come il logoro sasso del torrente,
Come la notte sola e nuda,
Anima da fionda e da terrori
Perché non ti raccatta
La mano ferma del Signore?

Quest'anima
Che sa le vanità del cuore
E perfide ne sa le tentazioni
E del mondo conosce la misura
E i piani della nostra mente
Giudica tracotanza,

Perché non può soffrire
Se non rapimenti terreni?

Tu non mi guardi piú, Signore...

E non cerco se non oblio
Nella cecità della carne.

E per la luce giusta,
Cadendo solo un'ombra viola
Sopra il giogo meno alto,
La lontananza aperta alla misura,
Ogni mio palpito, come usa il cuore,
Ma ora l'ascolto,
T'affretta, tempo, a pormi sulle labbra
Le tue labbra ultime.

La morte meditata

Canto primo
1932

O sorella dell'ombra,
Notturna quanto piú la luce ha forza,
M'insegui, morte.

In un giardino puro
Alla luce ti diè l'ingenua brama
E la pace fu persa,
Pensosa morte,
Sulla tua bocca.

Da quel momento
Ti odo nel fluire della mente
Approfondire lontananze,
Emula sofferente dell'eterno.

Madre velenosa degli evi
Nella paura del palpito
E della solitudine,

Bellezza punita e ridente,

Nell'assopirsi della carne
Sognatrice fuggente,

Atleta senza sonno
Della nostra grandezza,

Quando m'avrai domato, dimmi:

Nella malinconia dei vivi
Volerà a lungo la mia ombra?

Canto secondo
1932

Scava le intime vite
Della nostra infelice maschera
(Clausura d'infinito)
Con blandizia fanatica
La buia veglia dei padri.

Morte, muta parola,
Sabbia deposta come un letto
Dal sangue,
Ti odo cantare come una cicala
Nella rosa abbrunata dei riflessi.

Canto terzo
1932

Incide le rughe segrete
Della nostra infelice maschera
La beffa infinita dei padri.

Tu, nella luce fonda,
O confuso silenzio,
Insisti come le cicale irose.

Canto quarto
1932

Mi presero per mano nuvole.

Brucio sul colle spazio e tempo,
Come un tuo messaggero,
Come il sogno, divina morte.

Canto quinto
1932

Hai chiuso gli occhi.

Nasce una notte
Piena di finte buche,
Di suoni morti
Come di sugheri
Di reti calate nell'acqua.

Le tue mani si fanno come un soffio
D'inviolabili lontananze,
Inafferrabili come le idee,

E l'equivoco della luna
E il dondolio, dolcissimi,
Se vuoi posarmele sugli occhi,
Toccano l'anima.

Sei la donna che passa
Come una foglia

E lasci agli alberi un fuoco d'autunno.

Canto sesto
1932

O bella preda,
Voce notturna,
Le tue movenze
Fomentano la febbre.

Solo tu, memoria demente,
La libertà potevi catturare.

Sulla tua carne inafferrabile
E vacillante dentro specchi torbidi,
Quali delitti, sogno,
Non m'insegnasti a consumare?

Con voi, fantasmi, non ho mai ritegno,

E dei vostri rimorsi ho pieno il cuore
Quando fa giorno.

L'amore

Canto beduino

1932

Una donna s'alza e canta
La segue il vento e l'incanta
E sulla terra la stende
E il sogno vero la prende.

Questa terra è nuda
Questa donna è druda
Questo vento è forte
Questo sogno è morte.

Canto
1932

Rivedo la tua bocca lenta
(Il mare le va incontro delle notti)
E la cavalla delle reni
In agonia caderti
Nelle mie braccia che cantavano,
E riportarti un sonno
Al colorito e a nuove morti.

E la crudele solitudine
Che in sé ciascuno scopre, se ama,
Ora tomba infinita,
Da te mi divide per sempre.

Cara, lontana come in uno specchio...

1932

Quando ogni luce è spenta
E non vedo che i miei pensieri,

Un'Eva mi mette sugli occhi
La tela dei paradisi perduti.

Preludio
1934

Magica luna, tanto sei consunta
Che, rompendo il silenzio,
Poggi sui vecchi lecci dell'altura,
Un velo lubrico.

Quale grido
1934

Nelle sere d'estate,
Spargendoti sorpresa,
Lenta luna, fantasma quotidiano
Del triste, estremo sole,
Quale grido ridesti?

Luna allusiva, vai turbando incauta
Nel bel sonno, la terra,
Che all'assente s'è volta con delirio
Sotto la tua carezza malinconica,
E piange, essendo madre,
Che di lui e di sé non resti un giorno
Neanche un mantello labile di luna.

Senza piú peso

a Ottone Rosai

1934

Per un Iddio che rida come un bimbo,
Tanti gridi di passeri,
Tante danze nei rami,

Un'anima si fa senza piú peso,
I prati hanno una tale tenerezza,
Tale pudore negli occhi rivive,

Le mani come foglie
S'incantano nell'aria...

Chi teme piú, chi giudica?

Silenzio stellato
1932

E gli alberi e la notte
Non si muovono piú
Se non da nidi.

Il dolore
1937-1946

Tutto ho perduto
1937

Se tu mio fratello

Se tu mi rivenissi incontro vivo,
Con la mano tesa,
Ancora potrei,
Di nuovo in uno slancio d'oblio, stringere,
Fratello, una mano.

Ma di te, di te piú non mi circondano
Che sogni, barlumi,
I fuochi senza fuoco del passato.

La memoria non svolge che le immagini
E a me stesso io stesso
Non sono già piú
Che l'annientante nulla del pensiero.

Giorno per giorno
1940-1946

1
« Nessuno, mamma, ha mai sofferto tanto... »
E il volto già scomparso
Ma gli occhi ancora vivi
Dal guanciale volgeva alla finestra,
E riempivano passeri la stanza
Verso le briciole dal babbo sparse
Per distrarre il suo bimbo...

2
Ora potrò baciare solo in sogno
Le fiduciose mani...
E discorro, lavoro,
Sono appena mutato, temo, fumo...
Come si può ch'io regga a tanta notte?...

3
Mi porteranno gli anni
Chissà quali altri orrori,
Ma ti sentivo accanto,
M'avresti consolato...

4

Mai, non saprete mai come m'illumina
L'ombra che mi si pone a lato, timida,
Quando non spero piú...

5

Ora dov'è, dov'è l'ingenua voce
Che in corsa risuonando per le stanze
Sollevava dai crucci un uomo stanco?...
La terra l'ha disfatta, la protegge
Un passato di favola...

6

Ogni altra voce è un'eco che si spegne
Ora che una mi chiama
Dalle vette immortali...

7

In cielo cerco il tuo felice volto,
Ed i miei occhi in me null'altro vedano
Quando anch'essi vorrà chiudere Iddio...

8

E t'amo, t'amo, ed è continuo schianto!...

9

Inferocita terra, immane mare
Mi separa dal luogo della tomba

Dove ora si disperde
Il martoriato corpo...
Non conta... Ascolto sempre piú distinta
Quella voce d'anima
Che non seppi difendere quaggiú...
M'isola, sempre piú festosa e amica
Di minuto in minuto,
Nel suo segreto semplice...

10

Sono tornato ai colli, ai pini amati
E del ritmo dell'aria il patrio accento
Che non riudrò con te,
Mi spezza ad ogni soffio...

11

Passa la rondine e con essa estate,
E anch'io, mi dico, passerò...
Ma resti dell'amore che mi strazia
Non solo segno un breve appannamento
Se dall'inferno arrivo a qualche quiete...

12

Sotto la scure il disilluso ramo
Cadendo si lamenta appena, meno
Che non la foglia al tocco della brezza...
E fu la furia che abbatté la tenera
Forma e la premurosa
Carità d'una voce mi consuma...

13
Non piú furori reca a me l'estate,
Né primavera i suoi presentimenti;
Puoi declinare, autunno,
Con le tue stolte glorie:
Per uno spoglio desiderio, inverno
Distende la stagione piú clemente!...

14
Già m'è nelle ossa scesa
L'autunnale secchezza,
Ma, protratto dalle ombre,
Sopravviene infinito
Un demente fulgore:
La tortura segreta del crepuscolo
Inabissato...

15
Rievocherò senza rimorso sempre
Un'incantevole agonia dei sensi?
Ascolta, cieco: « Un'anima è partita
Dal comune castigo ancora illesa... »

Mi abbatterà meno di non piú udire
I gridi vivi della sua purezza
Che di sentire quasi estinto in me
Il fremito pauroso della colpa?

16
Agli abbagli che squillano dai vetri
Squadra un riflesso alla tovaglia l'ombra,

Tornano al lustro labile d'un orcio
Gonfie ortensie dall'aiuola, un rondone ebbro,
Il grattacielo in vampe delle nuvole,
Sull'albero, saltelli d'un bimbetto...

Inesauribile fragore di onde
Si dà che giunga allora nella stanza
E, alla fermezza inquieta d'una linea
Azzurra, ogni parete si dilegua...

17

Fa dolce e forse qui vicino passi
Dicendo: « Questo sole e tanto spazio
Ti calmino. Nel puro vento udire
Puoi il tempo camminare e la mia voce.
Ho in me raccolto a poco a poco e chiuso
Lo slancio muto della tua speranza.
Sono per te l'aurora e intatto giorno ».

Il tempo è muto
1940-1945

Amaro accordo

Oppure in un meriggio d'un ottobre
Dagli armoniosi colli
In mezzo a dense discendenti nuvole
I cavalli dei Dioscuri,
Alle cui zampe estatico
S'era fermato un bimbo,
Sopra i flutti spiccavano

(Per un amaro accordo dei ricordi
Verso ombre di banani
E di giganti erranti
Tartarughe entro blocchi
D'enormi acque impassibili:
Sotto altro ordine d'astri
Tra insoliti gabbiani)

Volo sino alla piana dove il bimbo
Frugando nella sabbia,
Dalla luce dei fulmini infiammata
La trasparenza delle care dita
Bagnate dalla pioggia contro vento,
Ghermiva tutti e quattro gli elementi.

Ma la morte è incolore e senza sensi
E, ignara d'ogni legge, come sempre,
Già lo sfiorava
Coi denti impudichi.

Tu ti spezzasti

1

I molti, immani, sparsi, grigi sassi
Frementi ancora alle segrete fionde
Di originarie fiamme soffocate
Od ai terrori di fiumane vergini
Ruinanti in implacabili carezze,
– Sopra l'abbaglio della sabbia rigidi
In un vuoto orizzonte, non rammenti?

E la recline, che s'apriva all'unico
Raccogliersi dell'ombra nella valle,
Araucaria, anelando ingigantita,
Volta nell'ardua selce d'erme fibre
Piú delle altre dannate refrattaria,
Fresca la bocca di farfalle e d'erbe
Dove dalle radici si tagliava,
– Non la rammenti delirante muta
Sopra tre palmi d'un rotondo ciottolo
In un perfetto bilico
Magicamente apparsa?

Di ramo in ramo fiorrancino lieve,
Ebbri di meraviglia gli avidi occhi
Ne conquistavi la screziata cima,
Temerario, musico bimbo,
Solo per rivedere all'imo lucido
D'un fondo e quieto baratro di mare

Favolose testuggini
Ridestarsi fra le alghe.

Della natura estrema la tensione
E le subacquee pompe,
Funebri moniti.

2

Alzavi le braccia come ali
E ridavi nascita al vento
Correndo nel peso dell'aria immota.

Nessuno mai vide posare
Il tuo lieve piede di danza.

3

Grazia felice,
Non avresti potuto non spezzarti
In una cecità tanto indurita
Tu semplice soffio e cristallo,

Troppo umano lampo per l'empio,
Selvoso, accanito, ronzante
Ruggito d'un sole ignudo.

Roma occupata
1943-1944

Folli i miei passi

Le usate strade
– Folli i miei passi come d'un automa –
Che una volta d'incanto si muovevano
Con la mia corsa,
Ora piú svolgersi non sanno in grazie
Piene di tempo
Svelando, a ogni mio umore rimutate,
I segni vani che le fanno vive
Se ci misurano.

E quando squillano al tramonto i vetri,
– Ma le case piú non ne hanno allegria
Per abitudine se alfine sosto
Disilluso cercando almeno quiete,
Nelle penombre caute
Delle stanze raccolte
Quantunque ne sia tenera la voce
Non uno dei presenti sparsi oggetti,
Invecchiato con me,
O a residui d'immagini legato
Di una qualche vicenda che mi occorse,
Può inatteso tornare a circondarmi
Sciogliendomi dal cuore le parole.

Appresero cosí le braccia offerte
– I carnali occhi
Disfatti da dissimulate lacrime,

L'orecchio assurdo, –
Quell'umile speranza
Che travolgeva il teso Michelangelo
A murare ogni spazio in un baleno
Non concedendo all'anima
Nemmeno la risorsa di spezzarsi.

Per desolato fremito ale dava
A un'urbe come una semenza, arcana,
Perpetuava in sé il certo cielo, cupola
Febbrilmente superstite.

Mio fiume anche tu

1

Mio fiume anche tu, Tevere fatale,
Ora che notte già turbata scorre;
Ora che persistente
E come a stento erotto dalla pietra
Un gemito d'agnelli si propaga
Smarrito per le strade esterrefatte;
Che di male l'attesa senza requie,
Il peggiore dei mali,
Che l'attesa di male imprevedibile
Intralcia animo e passi;
Che singhiozzi infiniti, a lungo rantoli
Agghiacciano le case tane incerte;
Ora che scorre notte già straziata,
Che ogni attimo spariscono di schianto
O temono l'offesa tanti segni
Giunti, quasi divine forme, a splendere
Per ascensione di millenni umani;
Ora che già sconvolta scorre notte,
E quanto un uomo può patire imparo;
Ora ora, mentre schiavo
Il mondo d'abissale pena soffoca;
Ora che insopportabile il tormento
Si sfrena tra i fratelli in ira a morte;
Ora che osano dire
Le mie blasfeme labbra:
« Cristo, pensoso palpito,

Perché la Tua bontà
S'è tanto allontanata? »

2
Ora che pecorelle cogli agnelli
Si sbandano stupite e, per le strade
Che già furono urbane, si desolano;
Ora che prova un popolo
Dopo gli strappi dell'emigrazione,
La stolta iniquità
Delle deportazioni;
Ora che nelle fosse
Con fantasia ritorta
E mani spudorate
Dalle fattezze umane l'uomo lacera
L'immagine divina
E pietà in grido si contrae di pietra;
Ora che l'innocenza
Reclama almeno un'eco,
E geme anche nel cuore piú indurito;
Ora che sono vani gli altri gridi;
Vedo ora chiaro nella notte triste.

Vedo ora nella notte triste, imparo,
So che l'inferno s'apre sulla terra
Su misura di quanto
L'uomo si sottrae, folle,
Alla purezza della Tua passione.

3
Fa piaga nel Tuo cuore
La somma del dolore

Che va spargendo sulla terra l'uomo;
Il Tuo cuore è la sede appassionata
Dell'amore non vano.

Cristo, pensoso palpito,
Astro incarnato nell'umane tenebre,
Fratello che t'immoli
Perennemente per riedificare
Umanamente l'uomo,
Santo, Santo che soffri,
Maestro e fratello e Dio che ci sai deboli,
Santo, Santo che soffri
Per liberare dalla morte i morti
E sorreggere noi infelici vivi,
D'un pianto solo mio non piango piú,
Ecco, Ti chiamo, Santo,
Santo, Santo che soffri.

I ricordi
1942-1946

L'angelo del povero

Ora che invade le oscurate menti
Piú aspra pietà del sangue e della terra,
Ora che ci misura ad ogni palpito
Il silenzio di tante ingiuste morti,

Ora si svegli l'angelo del povero,
Gentilezza superstite dell'anima...

Col gesto inestinguibile dei secoli
Discenda a capo del suo vecchio popolo,
In mezzo alle ombre...

Non gridate piú

Cessate d'uccidere i morti,
Non gridate piú, non gridate
Se li volete ancora udire,
Se sperate di non perire.

Hanno l'impercettibile sussurro,
Non fanno piú rumore
Del crescere dell'erba,
Lieta dove non passa l'uomo.

Terra

Potrebbe esserci sulla falce
Una lucentezza, e il rumore
Tornare e smarrirsi per gradi
Dalle grotte, e il vento potrebbe
D'altro sale gli occhi arrossare...

Potresti la chiglia sommersa
Dislocarsi udire nel largo,
O un gabbiano irarsi a beccare,
Sfuggita la preda, lo specchio...

Del grano di notti e di giorni
Ricolme mostrasti le mani,
Degli avi tirreni delfini
Dipinti vedesti a segreti
Muri immateriali, poi, dietro
Alle navi, vivi volare,
E terra sei ancora di ceneri
D'inventori senza riposo.

Cauto ripotrebbe assopenti farfalle
Stormire agli ulivi da un attimo all'altro
Destare,
Veglie inspirate resterai di estinti,
Insonni interventi di assenti,

La forza di ceneri – ombre
Nel ratto oscillamento degli argenti.

Il vento continui a scrosciare,
Da palme ad abeti lo strepito
Per sempre desoli, silente
Il grido dei morti è piú forte.

La terra promessa
frammenti
1935-1950

a Giuseppe De Robertis

Di persona morta divenutami cara sentendone parlare

Si dilegui la morte
Dal muto nostro sguardo
E la violenza della nostra pena
S'acqueti per un attimo,
Nella stanza calma riapparso
Il tuo felice incedere.

Oh bellezza flessuosa, è Aprile
E lo splendore giovane degli anni
Tu riconduci,
Con la tua mitezza,
Dove piú è acre l'attesa malinconica.

Di nuovo
Dall'assorta fronte,
I tuoi pensieri che ritrovi
Fra i famigliari oggetti,
Incantano,
Ma, carezzevole, la tua parola
Rivivere già fa,
Piú a fondo,
Il brevemente dolore assopito
Di chi t'amò e perdutamente
A solo amarti nel ricordo
È ora punito.

Cori descrittivi
di stati d'animo di Didone

I

Dileguandosi l'ombra,

In lontananza d'anni,

Quando non laceravano gli affanni,

L'allora, odi, puerile
Petto ergersi bramato
E l'occhio tuo allarmato
Fuoco incauto svelare dell'Aprile
Da un'odorosa gota.

Scherno, spettro solerte
Che rendi il tempo inerte
E lungamente la sua furia nota:

Il cuore roso, sgombra!

Ma potrà, mute lotte
Sopite, dileguarsi da età, notte?

II

La sera si prolunga
Per un sospeso fuoco
E un fremito nell'erbe a poco a poco
Pare infinito a sorte ricongiunga.

Lunare allora inavvertita nacque
Eco, e si fuse al brivido dell'acque.

Non so chi fu piú vivo,
Il sussurrio sino all'ebbro rivo
O l'attenta che tenera si tacque.

III

Ora il vento s'è fatto silenzioso
E silenzioso il mare;
Tutto tace; ma grido
Il grido, sola, del mio cuore,
Grido d'amore, grido di vergogna
Del mio cuore che brucia
Da quando ti mirai e m'hai guardata
E piú non sono che un oggetto debole.

Grido e brucia il mio cuore senza pace
Da quando piú non sono
Se non cosa in rovina e abbandonata.

IV

Solo ho nell'anima coperti schianti,
Equatori selvosi, su paduli
Brumali grumi di vapori dove
Delira il desiderio,
Nel sonno, di non essere mai nati.

V

Non divezzati ancora, ma pupilli
Cui troppo in fretta crescano impazienze,
L'ansia ci trasportava lungo il sonno

Verso quale altro altrove?
Si colorí e l'aroma prese a spargere
Cosí quella primizia
Che, per tenere astuzie
Schiudendosi sorpresa nella luce,
Offrí solo la vera succulenza
Piú tardi, già accaniti noi alle veglie.

VI

Tutti gl'inganni suoi perso ha il mistero,
A vita lunga solita corona,
E, in se stesso mutato,
Concede il fiele dei rimorsi a gocce.

VII

Nella tenebra, muta
Cammini in campi vuoti d'ogni grano:
Altero al lato tuo piú niuno aspetti.

VIII

Viene dal mio al tuo viso il tuo segreto;
Replica il mio le care tue fattezze;
Nulla contengono di piú i nostri occhi
E, disperato, il nostro amore effimero
Eterno freme in vele d'un indugio.

IX

Non piú m'attraggono i paesaggi erranti
Del mare, né dell'alba il lacerante
Pallore sopra queste o quelle foglie;

Nemmeno piú contrasto col macigno,
Antica notte che sugli occhi porto.

Le immagini a che prò
Per me dimenticata?

X

Non odi del platano,
Foglia non odi a un tratto scricchiolare
Che cade lungo il fiume sulle selci?

Il mio declino abbellirò, stasera;
A foglie secche si vedrà congiunto
Un bagliore roseo.

XI

E senza darsi quiete
Poiché lo spazio loro fuga d'una
Nuvola offriva ai nostri intimi fuochi,
Covandosi a vicenda
Le ingenue anime nostre
Gemelle si svegliarono, già in corsa.

XII

A bufera s'è aperto, al buio, un porto
Che dissero sicuro.

Fu golfo constellato
E pareva immutabile il suo cielo;
Ma ora, com'è mutato!

XIII

Sceso dall'incantevole sua cuspide,
Se ancora sorgere dovesse
Il suo amore, impassibile farebbe
Numerare le innumere sue spine
Spargendosi nelle ore, nei minuti.

XIV

Per patirne la luce,
Gli sguardi tuoi, che si accigliavano
Smarriti ai cupidi, agl'intrepidi
Suoi occhi che a te non si soffermerebbero
Mai piú, ormai mai piú.

Per patirne l'estraneo, il folle
Orgoglio che tuttora adori,
A tuoi torti con vana implorazione
La sorte imputerebbero
Gli ormai tuói occhi opachi, secchi;

Ma grazia alcuna piú non troverebbero,
Nemmeno da sprizzarne un solo raggio,
Od una sola lacrima,
Gli occhi tuoi opachi, secchi,

– Opachi, senza raggi.

XV

Non vedresti che torti tuoi, deserta,
Senza piú un fumo che alla soglia avvii
Del sonno, sommessamente.

XVI

Non sfocerebbero ombre da verdure
Come nel tempo ch'eri agguato roseo
E tornava a distendersi la notte
Con i sospiri di sfumare in prato,
E a prime dorature ti sfrangiavi,
Incerte, furtiva, in dormiveglia.

XVII

Trarresti dal crepuscolo
Un'ala interminabile.

Con le sue piume piú fugaci
A distratte strie ombreggiando,
Senza fine la sabbia
Forse ravviveresti.

XVIII

Lasciò i campi alle spighe l'ira avversi,
E la città, poco piú tardi,
Anche le sue macerie perse.

Ardee errare cineree solo vedo
Tra paludi e cespugli,
Terrorizzate urlanti presso i nidi
E gli escrementi dei voraci figli
Anche se appaia solo una cornacchia.

Per fetori s'estende
La fama che ti resta,
Ed altro segno piú di te non mostri
Se non le paralitiche

Forme della viltà
Se ai tuoi sgradevoli gridi ti guardo.

XIX

Deposto hai la superbia negli orrori,
Nei desolati errori.

Segreto del poeta

Solo ho amica la notte.
Sempre potrò trascorrere con essa
D'attimo in attimo, non ore vane;
Ma tempo cui il mio palpito trasmetto
Come m'aggrada, senza mai distrarmene.

Avviene quando sento,
Mentre riprende a distaccarsi da ombre,
La speranza immutabile
In me che fuoco nuovamente scova
E nel silenzio restituendo va,
A gesti tuoi terreni
Talmente amati che immortali parvero,
Luce.

Finale

Piú non muggisce, non sussurra il mare,
Il mare.

Senza i sogni, incolore campo è il mare,
Il mare.

Fa pietà anche il mare,
Il mare.

Muovono nuvole irriflesse il mare,
Il mare.

A fumi tristi cedé il letto il mare,
Il mare.

Morto è anche, vedi, il mare,
Il mare.

Un grido e paesaggi
1939-1952

a Jean Paulhan

Monologhetto

Sotto le scorze, e come per un vuoto,
Di già gli umori si risentono,
Si snodano, delirando di gemme:
Conturbato, l'inverno nel suo sonno,
Motivo dando d'essere
Corto al Febbraio, e lunatico,
Piú non è, nel segreto, squallido;
Come di sopra a un biblico disastro,
Nelle apparenze, il velario si leva
Lungo un lido, che da quell'attimo
Si scruta per ripopolarsi:
Di tanto in tanto riemergenti brusche
Si susseguono torri;
Erra, di nuovo in cerca d'Ararat,
Con solitudini salpata l'arca;
Ai colombai risale l'imbianchino.
Sopra i ceppi del roveto dimoia
Per la Maremma
E
Qua e là spargersi s'ode,
Di volatili in cova,
Bisbigli, pigolii;
Da Foggia la vettura
A Lucera correndo
Con i suoi fari inquieta
I redi negli stabbi;

Dentro i monti còrsi, a Vivario,
Uomini intorno al caldo a veglia
Chiusi sotto il lume a petrolio nella stanza,
Con i bianchi barboni sparsi
Sulle mani poggiate sui bastoni,
Morsicando lenti la pipa
Ors'Antone che canta ascoltano,
Accompagnato dal sussurro della rivergola
Vibrante di tra i denti
Del ragazzo Ghiuvanni:

Tantu lieta è la sua sorte
Quantu torbida è la mia.

Di fuori infittisce uno scalpiccío
Frammischiato a urla e gorgoglio
Di suini che portano a scannare, scannano,
Principiando domani Carnevale,
E con immoto vento ancora nevica.
Lasciate dietro tre pievi minuscole
Sul pendio scaglionate
Con i tetti rossi di tegole
Le case piú recenti
E,
Coperte di lavagna,
Le piú vecchie quasi invisibili
Nella confusione dell'alba,
L'aromatica selva
Di Vizzavona si attraversa
Senza mai scorgerne dai finestrini
I larici se non ai tronchi,
E per brandelli,
E
Da Levante si passa poi dei monti,

E l'autista anche a voce il serpeggío:

Sulía, umbría, umbría,

Segue, se lo ripete
E, o a Levante o a Ponente, sempre in monti,
Torna il nodo a alternarsi e, peggio,
La clausura distesa:
Non ne dovrà la noia mai finire?
E,
A piú di mille metri
D'altezza, la macchina infila
Una strada ottenuta nel costone,
Stretta, ghiacciata,
Sporta sul baratro.
Il cielo è un cielo di zaffiro
E ha quel colore lucido
Che di questo mese gli spetta,
Colore di Febbraio,
Colore di speranza.
Giú, giú, arriva fino
A Ajaccio, un tale cielo,
Che intirizzisce, ma non perché freddo,
Perché è sibillino;
Giú, arriva giú, un tale
Cielo, fino a attorniare un mare buio
Che nelle viscere si soffoca
Il mugghiare continuo,
Ed incede il Neptunia.
A Pernambuco attracca
E,
Tra le barchette in dondolo,
E titubanti chiattole
Sul lustro elastico dell'acqua,

Nel breve porto impone, nero,
L'ingombro svelto del suo netto taglio.
Ovunque, per la scala della nave,
Per le strade gremite,
Sui predellini del tramvai,
Non c'è piú nulla che non balli,
Sia cosa, sia bestia, sia gente,
Giorno e notte, e notte
E giorno, essendo Carnevale.
Ma meglio di notte si balla,
Quando, uggiosi alle tenebre,
Dalla girandola dei fuochi, fiori,
Complici della notte,
Moltiplicandone gli equivoci,
Tra cielo e terra grandinano
Screziando la marina livida.
Si soffoca dal caldo:
L'equatore è a due passi.
Non penò poco l'Europeo a assuefarsi
Alle stagioni alla rovescia,
E, piú che mai, facendosi
Il suo sangue meticcio:
Non è Febbraio il mese degli innesti?
E ancora piú penò,
Il suo sangue, facendosi mulatto
Nel maledetto aggiogamento
D'anime umane a lavoro di schiavi;
Ma, nella terra australe,
Giunse alla fine a mettere a un solleone,
La propria piú inattesa maschera.
Non smetterà piú di sedurre
Questo Febbraio falso
E,
Fradici di sudore e lezzo,

Stralunati si balli senza posa
Cantando di continuo, raucamente,
Con l'ossessiva ingenuità qui d'uso:

Ironia, ironia
Era só o que dizia.

Il ricordare è di vecchiaia il segno,
Ed oggi alcune soste ho ricordate
Del mio lungo soggiorno sulla terra,
Successe di Febbraio,
Perché sto, di Febbraio, alla vicenda
Piú che negli altri mesi vigile.
Gli sono piú che alla mia stessa vita
Attaccato per una nascita
Ed una dipartita;
Ma di questo, non è momento di parlare.
E anch'io di questo mese nacqui.
Era burrasca, pioveva a dirotto
A Alessandria d'Egitto in quella notte,
E festa gli Sciiti
Facevano laggiú
Alla luna detta degli amuleti:
Galoppa un bimbo sul cavallo bianco
E a lui dintorno in ressa il popolo
S'avvince al cerchio dei presagi.
Adamo ed Eva rammemorano
Nella terrena sorte istupiditi:
È tempo che s'aguzzi
L'orecchio a indovinare,
E una delle Arabe accalcate, scatta,
Fulmine che una roccia graffia
Indica e, con schiumante bocca, attesta:

Un mahdi, ancora informe nel granito,
Delinea le sue braccia spaventose;

Ma mia madre, Lucchese,
A quella uscita ride
Ed un proverbio cita:

Se di Febbraio corrono i viottoli,
Empie di vino e olio tutti i ciottoli.

Poeti, poeti, ci siamo messi
Tutte le maschere;
Ma uno non è che la propria persona.
Per atroce impazienza
In quel vuoto che per natura
Ogni anno accade di Febbraio
Sul lunario fissandosi per termini:
Il giorno della Candelora
Con il riapparso da penombra
Fioco tremore di fiammelle
Di sull'ardore
Di poca cera vergine,
E il giorno, dopo qualche settimana,
Del *Sei polvere e ritornerai in polvere*;
Nel vuoto, e per impazienza d'uscirne,
Ognuno, e noi vecchi compresi
Con i nostri rimpianti,
E non sa senza propria prova niuno
Quanto strozzi illusione
Che di solo rimpianto viva;
Impaziente, nel vuoto, ognuno smania,
S'affanna, futile,
A reincarnarsi in qualche fantasia
Che anch'essa sarà vana,

E ne è sgomento,
Troppo in fretta svariando nei suoi inganni
Il tempo, per potersene ammonire.
Solo ai fanciulli i sogni s'addirebbero:
Posseggono la grazia del candore
Che da ogni guasto sana, se rinnova
O se le voci in sé, svaria d'un soffio.
Ma perché fanciullezza
È subito ricordo?
Non c'è, altro non c'è su questa terra
Che un barlume di vero
E il nulla della polvere,
Anche se, matto incorreggibile,
Incontro al lampo dei miraggi
Nell'intimo e nei gesti, il vivo
Tendersi sembra sempre.

Gridasti: soffoco...

Non potevi dormire, non dormivi...
Gridasti: Soffoco...
Nel viso tuo scomparso già nel teschio,
Gli occhi, che erano ancora luminosi
Solo un attimo fa,
Gli occhi si dilatarono... Si persero...
  Sempre ero stato timido,
Ribelle, torbido; ma puro, libero,
Felice rinascevo nel tuo sguardo...
  Poi la bocca, la bocca
Che una volta pareva, lungo i giorni,
Lampo di grazia e gioia,
La bocca si contorse in lotta muta...
  Un bimbo è morto...

  Nove anni, chiuso cerchio,
Nove anni cui né giorni, né minuti
Mai piú s'aggiungeranno:
In essi s'alimenta
L'unico fuoco della mia speranza.
Posso cercarti, posso ritrovarti,
Posso andare, continuamente vado
A rivederti crescere
Da un punto all'altro
Dei tuoi nove anni.
  Io di continuo posso,

Distintamente posso
Sentirti le mani nelle mie mani:
Le mani tue di pargolo
Che afferrano le mie senza conoscerle;
Le tue mani che si fanno sensibili,
Sempre piú consapevoli
Abbandonandosi nelle mie mani;
Le tue mani che diventano secche
E, sole – pallidissime –
Sole nell'ombra sostano...
La settimana scorsa eri fiorente...

Ti vado a prendere il vestito a casa,
Poi nella cassa ti verranno a chiudere
Per sempre. No, per sempre
Sei animo della mia anima, e la liberi.
Ora meglio la liberi
Che non sapesse il tuo sorriso vivo:
Provala ancora, accrescile la forza,
Se vuoi – sino a te, caro! – che m'innalzi
Dove il vivere è calma, è senza morte.

Sconto, sopravvivendoti, l'orrore
Degli anni che t'usurpo,
E che ai tuoi anni aggiungo,
Demente di rimorso,
Come se, ancora tra di noi mortale,
Tu continuassi a crescere;
Ma cresce solo, vuota,
La mia vecchiaia odiosa...

Come ora, era di notte,
E mi davi la mano, fine mano...
Spaventato tra me e me m'ascoltavo:

È troppo azzurro questo cielo australe,
Troppi astri lo gremiscono,
Troppi e, per noi, non uno familiare...

(Cielo sordo, che scende senza un soffio,
Sordo che udrò continuamente opprimere
Mani tese a scansarlo...)

Svaghi

Volarono

Amsterdam, Marzo 1933

Di sopra dune in branco pavoncelle
Volarono e, quella sera, troppo vitrea,
Si ruppe con metallici riflessi
A lampi verdi, turchini, porporini.
Pavoncelle calate qui,
In Sardegna svernato, l'altro giorno.
Le odo, mentre camminano non viste,
Che, frugando se capiti un lombrico,
Per non smarrirsi, di già è buio, stridono.
Tornate al nido, all'alba domattina,
Lo troveranno vuoto,
E la prima dozzina degli ovetti
Scovati ("Zitti!" "Piano!") dai monelli,
Si porta in bicicletta a Guglielmina,
È Primavera.

Saltellano

Ravenna, Marzo 1952

Saltellano coi loro passettini
E mai non veglieranno castamente:
Essi sono colombi. Né l'azzurro
(Che da ori evade e minii,
Si posa su erbe, avviva
Orme come di chiocciola,
Viola stana, protrae)
S'incanti tutto solo,
O strisci, brancoli, persista cupo,
Può giungere a distorli
Dal mutuo folle loro dichiararsi.

Semantica

Come dovunque in Amazzonia, qua
L'angíco abbonda, e già scoprirsi vedi
Alcuni piedi di sapindo,
Il libarò dei Guaraní;
E, di rado, di qui o di là,
I cautsciò si adunano in baschetti,
Riposo all'ombra sospirata d'alberi
Di fusto dritto ed alto,
Di scorza come d'angue,
Cari ai Cambebba.
Di lontano li scorgi
Mentre piú torrido t'opprime il chiaro
E piú ti lega il tedio
E gira moltitudine famelica
Di moschine invisibili,
Quando, di fitte foglie a tre per tre,
Con luccichio ti svelano verdissimo
D'un subito le cupole e la stanza,
Tremuli fino al suolo.
Sai che vi dondola per te un'amaca.
I tronchi ne feriscono e, col succo,
Zufoli ed otri plasmano quegli Indi;
Oggetti il cui destino conviviale
Nel Settecento nominare fa
A Portoghesi lepidi
Seringueira, l'appiccicosa pianta,

E dirne la sostanza,
Arcadi cocciuti, seringa,
Chi la va raccogliendo, seringueiro,
L'irrequieto boschetto, seringal,
Con suoni ormai solo da clinica.

Il taccuino del vecchio
1952-1960

Ultimi cori per la terra promessa
Roma 1952-1960

1

Agglutinati all'oggi
I giorni del passato
E gli altri che verranno.

Per anni e lungo secoli
Ogni attimo sorpresa
Nel sapere che ancora siamo in vita,
Che scorre sempre come sempre il vivere,
Dono e pena inattesi
Nel turbinío continuo
Dei vani mutamenti.

Tale per nostra sorte
Il viaggio che proseguo,
In un battibaleno
Esumando, inventando
Da capo a fondo il tempo,
Profugo come gli altri
Che furono, che sono, che saranno.

2

Se nell'incastro d'un giorno nei giorni
Ancora intento mi rinvengo a cogliermi
E scelgo quel momento,
Mi tornerà nell'animo per sempre.

La persona, l'oggetto o la vicenda
O gl'inconsueti luoghi o i non insoliti
Che mossero il delirio, o quell'angoscia,
O il fatuo rapimento
Od un affetto saldo,
Sono, immutabili, me divenuti.

Ma alla mia vita, ad altro non piú dedita
Che ad impaurirsi cresca,
Aumentandone il vuoto, ressa di ombre
Rimaste a darle estremi
Desideri di palpito,
Accadrà di vedere
Espandersi il deserto
Sino a farle mancare
Anche la carità feroce del ricordo?

3
Quando un giorno ti lascia,
Pensi all'altro che spunta.

È sempre pieno di promesse il nascere
Sebbene sia straziante
E l'esperienza d'ogni giorno insegni
Che nel legarsi, sciogliersi o durare
Non sono i giorni se non vago fumo.

4
Verso meta si fugge:
Chi la conoscerà?

Non d'Itaca si sogna

Smarriti in vario mare,
Ma va la mira al Sinai sopra sabbie
Che novera monotone giornate.

5
Si percorre il deserto con residui
Di qualche immagine di prima in mente,

Della Terra Promessa
Nient'altro un vivo sa.

6
All'infinito se durasse il viaggio,
Non durerebbe un attimo, e la morte
È già qui, poco prima.

Un attimo interrotto,
Oltre non dura un vivere terreno:

Se s'interrompe sulla cima a un Sinai,
La legge a chi rimane si rinnova,
Riprende a incrudelire l'illusione.

7
Se una tua mano schiva la sventura,
Con l'altra mano scopri
Che non è il tutto se non di macerie.

È sopravvivere alla morte, vivere?

Si oppone alla tua sorte una tua mano,

Ma l'altra, vedi, subito t'accerta
Che solo puoi afferrare
Bricioli di ricordi.

8

Sovente mi domando
Come eri ed ero prima.

Vagammo forse vittime del sonno?

Gli atti nostri eseguiti
Furono da sonnambuli, in quei tempi?

Siamo lontani, in quell'alone d'echi,
E mentre in me riemergi, nel brusío
Mi ascolto che da un sonno ti sollevi
Che ci previde a lungo.

9

Ogni anno, mentre scopro che Febbraio
È sensitivo e, per pudore, torbido,
Con minuto fiorire, gialla irrompe
La mimosa. S'inquadra alla finestra
Di quella mia dimora d'una volta,
Di questa dove passo gli anni vecchi.

Mentre arrivo vicino al gran silenzio,
Segno sarà che niuna cosa muore
Se ne ritorna sempre l'apparenza?

O saprò finalmente che la morte
Regno non ha che sopra l'apparenza?

10

Le ansie, che mi hai nascoste dentro gli occhi,
Per cui non vedo che irrequiete muoversi
Nel tuo notturno riposare sola,
Le tue memori membra,
Tenebra aggiungono al mio buio solito,
Mi fanno piú non essere che notte,
Nell'urlo muto, notte.

11

È nebbia, acceca vaga, la tua assenza,
È speranza che logora speranza,

Da te lontano piú non odo ai rami
I bisbigli che prodigano foglie
Con ugole novizie
Quando primaverili arsure provochi
Nelle mie fibre squallide.

12

L'Ovest all'incupita spalla sente
Macchie di sangue che si fanno larghe,
Che, dal fondo di notti di memoria,
Recuperate, in vuoto
S'isoleranno presto,
Sole sanguineranno.

13

Rosa segreta, sbocci sugli abissi
Solo ch'io trasalisca rammentando
Come improvvisa odori

Mentre si alza il lamento.

L'evocato miracolo mi fonde
La notte allora nella notte dove
Per smarrirti e riprenderti inseguivi,
Da libertà di piú
In piú fatti roventi,
L'abbaglio e l'addentare.

14
Somiglia a luce in crescita,
Od al colmo, l'amore.

Se solo d'un momento
Essa dal Sud si parte,
Già puoi chiamarla morte.

15
Se voluttà li cinge,
In cerca disperandosi di chiaro
Egli in nube la vede
Che insaziabile taglia
A accavallarsi d'uragani, freni.

16
Da quella stella all'altra
Si carcera la notte
In turbinante vuota dismisura,

Da quella solitudine di stella
A quella solitudine di stella.

17

Rilucere inveduto d'abbagliati
Spazi ove immemorabile
Vita passano gli astri
Dal peso pazzi della solitudine.

18

Per sopportare il chiaro, la sua sferza,
Se il chiaro apparirà,

Per sopportare il chiaro, per fissarlo
Senza battere ciglio,
Al patire ti addestro,
Espío la tua colpa,

Per sopportare il chiaro
La sferza gli contrasto
E ne traggo presagio che, terribile,
La nostra diverrà sublime gioia!

19

Veglia e sonno finiscano, si assenti
Dalla mia carne stanca,
D'un tuo ristoro, senza tregua spasimo.

20

Se fossi d'ore ancora un'altra volta ignaro,
Forse succederà che di quel fremito
Rifrema che in un lampo ti faceva
Felice, priva d'anima?

21
Darsi potrà che torni
Senza malizia, bimbo?

Con occhi che non vedano
Altro se non, nel mentre a luce guizza,
Casta l'irrequietezza della fonte?

22
È senza fiato, sera, irrespirabile,
Se voi, miei morti, e i pochi vivi che amo,
Non mi venite in mente
Bene a portarmi quando
Per solitudine, capisco, a sera.

23
In questo secolo della pazienza
E di fretta angosciosa,
Al cielo volto, che si doppia giú
E piú, formando guscio, ci fa minimi
In sua balía, privi d'ogni limite,
Nel volo dall'altezza
Di dodici chilometri vedere
Puoi il tempo che s'imbianca e che diventa
Una dolce mattina,
Puoi, non riferimento
Dall'attorniante spazio
Venendo a rammentarti
Che alla velocità ti catapultano
Di mille miglia all'ora,
L'irrefrenabile curiosità
E il volere fatale

Scordandoti dell'uomo
Che non saprà mai smettere di crescere
E cresce già in misura disumana,
Puoi imparare come avvenga si assenti
Uno, senza mai fretta né pazienza
Sotto veli guardando
Fino all'incendio della terra a sera.

24

Mi afferri nelle grinfie azzurre il nibbio
E, all'apice del sole,
Mi lasci sulla sabbia
Cadere in pasto ai corvi.

Non porterò piú sulle spalle il fango,
Mondo mi avranno il fuoco,
I rostri crocidanti,
L'azzannare afroroso di sciacalli.

Poi mostrerà il beduino,
Dalla sabbia scoprendolo
Frugando col bastone,
Un ossame bianchissimo.

25

Calava a Siracusa senza luna
La notte e l'acqua plumbea
E ferma nel suo fosso riappariva,

Soli andavamo dentro la rovina,

Un cordaro si mosse dal remoto.

26

Soffocata da rantoli scompare,
Torna, ritorna, fuori di sé torna,
E sempre l'odo piú addentro di me
Farsi sempre piú viva,
Chiara, affettuosa, piú amata, terribile,
La tua parola spenta.

27

L'amore piú non è quella tempesta
Che nel notturno abbaglio
Ancora mi avvinceva poco fa
Tra l'insonnia e le smanie,

Balugina da un faro
Verso cui va tranquillo
Il vecchio capitano.

Cantetto senza parole
Roma, ottobre 1957

1
A colomba il sóle
Cedette la luce...

Tubando verrà,
Se dormi, nel sogno...

La luce verrà,
In segreto vivrà...

Si saprà signora
D'un grande mare
Al primo tuo sospiro...

Già va rilucendo
Mosso, quel mare,
Aperto per chi sogna...

2
Non ha solo incanti
La luce che carceri...

Ti parve domestica,
Ad altro mirava...

Dismisura súbito,

Volle quel mare abisso...

Titubasti, il volo
In te smarrí,
Per eco si cercò...

L'ira in quel chiamare
Ti sciupa l'anima,
La luce torna al giorno...

Per sempre
Roma, il 24 maggio 1959

Senza niuna impazienza sognerò,
Mi piegherò al lavoro
Che non può mai finire,
E a poco a poco in cima
Alle braccia rinate
Si riapriranno mani soccorrevoli,
Nelle cavità loro
Riapparsi gli occhi, ridaranno luce,
E, d'improvviso intatta
Sarai risorta, mi farà da guida
Di nuovo la tua voce,
Per sempre ti rivedo.

Indice

Giuseppe Ungaretti

V *La vita*
VII *Le opere*
VIII *La fortuna*
X *Bibliografia*

L'ALLEGRIA
1914-1919

Ultime
5 Eterno
6 Noia
7 Levante
9 Nasce forse
10 Ricordo d'Affrica
11 Notte di maggio
12 In galleria
13 Chiaroscuro

Il porto sepolto
17 In memoria
19 Lindoro di deserto
20 Veglia

21 Stasera
22 Silenzio
23 Peso
24 Fratelli
25 C'era una volta
26 Sono una creatura
27 In dormiveglia
28 I fiumi
31 Pellegrinaggio
32 Monotonia
33 La notte bella
34 Universo
35 Sonnolenza
36 San Martino del Carso
37 Distacco
38 Italia
39 Commiato

Naufragi

43 Allegria di naufragi
44 Natale
45 Dolina notturna
46 Mattina
47 Dormire
48 Lontano
49 Godimento
50 Un'altra notte
51 Giugno
54 Rose in fiamme
55 Vanità

Girovago

59 Girovago
61 Sereno

62 Soldati

Prime

65 Un sogno solito
66 Lucca
68 Preghiera

SENTIMENTO DEL TEMPO
1919-1935

Prime

73 O notte
74 Paesaggio
75 Silenzio in Liguria
76 Ricordo d'Affrica

La fine di Crono

79 L'isola
80 Lago luna alba notte
81 Inno alla morte
83 Notte di marzo
84 Di luglio
85 Giunone
86 D'agosto
87 Un lembo d'aria
88 Ogni grigio
89 Lido
90 Pari a sé

Sogni e accordi

93 Eco
94 Ultimo quarto
95 Aura
96 Fonte
97 Due note

98 Di sera
99 Rosso e azzurro
100 Quiete
101 Sereno
102 Sera

Leggende

105 Il Capitano
107 Primo amore
108 La madre
109 1914-1915

Inni

113 La pietà
117 Dannazione
118 Sentimento del tempo

La morte meditata

121 Canto primo
123 Canto secondo
124 Canto terzo
125 Canto quarto
126 Canto quinto
127 Canto sesto

L'amore

131 Canto beduino
132 Canto
133 [1932]
134 Preludio
135 Quale grido
136 Senza più peso
137 Silenzio stellato

IL DOLORE

1937-1946

Tutto ho perduto

143 Se tu mio fratello

Giorno per giorno

147 *« Nessuno, mamma,*
147 *Ora potrò baciare solo in sogno*
147 *Mi porteranno gli anni*
148 *Mai, non saprete mai come l'illumina*
148 *Ora dov'è, dov'è l'ingenua luce*
148 *Ogni altra voce è un'eco che si spegne*
148 *In cielo cerco il tuo felice volto,*
148 *E t'amo,*
148 *Inferocita terra, immane mare*
149 *Sono tornato ai colli, ai pini amati*
149 *Passa la rondine e con essa estate,*
149 *Sotto la scure il disilluso ramo*
150 *Non più furori reca a me l'estate*
150 *Già m'è nelle ossa scesa*
150 *Rievocherò senza rimorso sempre*
150 *Agli abbagli che squillano dai vetri*
151 *Fa dolce e forse qui vicino passi*

Il tempo è muto

155 Amaro accordo
156 Tu ti spezzasti

Roma occupata

161 Folli i miei passi
163 Mio fiume anche tu

I ricordi

169 L'angelo del povero
170 Non gridate più
171 Terra

LA TERRA PROMESSA
frammenti
1935 -1950

175 Di persona morta divenutami cara sentendone parlare

Cori descrittivi di stati d'animo di Didone

176 I *Dileguandosi l'ombra*

176 II *La sera si prolunga*

177 III *Ora il vento s'è fatto silenzioso*

177 IV *Solo ho nell'anima coperti schianti,*

177 V *Non divezzati ancora, ma pupilli*

178 VI *Tutti gl'inganni suoi perso ha il mistero,*

178 VII *Nella tenebra, muta*

178 VIII *Viene dal mio al tuo viso il tuo segreto;*

178 IX *Non più m'attraggono i paesaggi erranti*

179 X *Non odi del platano,*

179 XI *E senza darsi quiete*

179 XII *A bufera s'è aperto, al buio, un porto*

180 XIII *Sceso dall'incantevole sua cuspide,*

180 XIV *Per patirne la luce,*

180 XV *Non vedresti che torti tuoi, deserta,*

181 XVI *Non sfocerebbero ombre da verdure*

181 XVII *Trarresti dal crepuscolo*

181 XVIII *Lasciò i campi alle spighe l'ira avversi,*

182 XIX *Deposto hai la superbia negli orrori,*

183 Segreto del poeta

184 Finale

UN GRIDO E PAESAGGI
1939-1952

187 Monologhetto

197 Gridasti: soffoco...

203 Svaghi

205 Volarono
206 Saltellano
207 Semantica

IL TACCUINO DEL VECCHIO
1952-1960

213 Ultimi cori per la terra promessa
225 Cantetto senza parole
229 Per sempre

OSCAR CLASSICI MODERNI

Pirandello, Il fu Mattia Pascal
Christie, Dieci piccoli indiani
Kafka, Il processo
Chiara, Il piatto piange
Fitzgerald, Il grande Gatsby
Forster, Passaggio in India
Bernanos, Diario di un curato di campagna
Mann, Morte a Venezia – Tristano – Tonio Kröger
Svevo, La coscienza di Zeno
Joyce, Gente di Dublino
Asimov, Tutti i miei robot
García Márquez, Cent'anni di solitudine
Silone, Fontamara
Hesse, Narciso e Boccadoro
Woolf, La signora Dalloway
Bradbury, Fahrenheit 451
Mitchell, Via col vento
Orwell, 1984
Kerouac, Sulla strada
Hemingway, Il vecchio e il mare
Pirandello, Sei personaggi in cerca d'autore – Enrico IV
Remarque, Niente di nuovo sul fronte occidentale
Buzzati, Il deserto dei tartari
Vittorini, Uomini e no
Palazzeschi, Sorelle Materassi
Greene, Il potere e la gloria

OSCAR CLASSICI

Maupassant, Racconti fantastici
Dostoevskij, Il giocatore
Baudelaire, I fiori del male
Turgenev, Rudin
Flaubert, Madame Bovary
Austen, Orgoglio e pregiudizio
Brontë, Cime tempestose
Goldoni C., Il teatro comico. Memorie italiane
Verga, Mastro don Gesualdo
Verga, Tutte le novelle – vol. I
Verga, Tutte le novelle – vol. II
Sofocle, Edipo re
Goffredo di Strasburgo, Tristano
Hugo, Novantatré
Leopardi, Zibaldone di pensieri
Wilde, Il ritratto di Dorian Gray
Shakespeare, Macbeth (Trad. Gassman)
Goldoni C., La locandiera
Sterne, La vita e le opinioni di Tristram Shandy gentiluomo
AA.VV., Racconti fantastici dell'Ottocento (2 voll.), a cura di I. Calvino
Verga, I Malavoglia
Poe, Le avventure di Gordon Pym
Chrétien de Troyes, I romanzi cortesi (5 voll.)
Senofonte, Anàbasi
Carducci, Poesie scelte
Melville, Taipi
Manzoni, Storia della colonna infame
Čechov, Tre anni – La signora col cagnolino
De Amicis, Cuore
Flaubert, L'educazione sentimentale
AA.VV., Racconti d'amore dell'Ottocento (2 voll. in cofanetto), a cura di Davico Bonino
Fogazzaro, Piccolo mondo moderno
Fogazzaro, Malombra
Maupassant, Una vita
Gogol', Le anime morte
Nievo I., Le confessioni di un italiano
Cervantes, Don Chisciotte della Mancia (2 voll. in cofanetto)
Manzoni, Poesie
Dostoevskij, Il sosia
Petrarca, Canzoniere
Turgenev, Memorie di un cacciatore
Wilde, De profundis

Fogazzaro, Il santo
Verga, Una peccatrice – Storia di una capinera – Eva – Tigre reale
Stevenson, Lo strano caso del dottor Jekyll e del signor Hyde
Alighieri, Vita Nuova e Rime
Balzac, Papà Goriot
Poe, Racconti del terrore, del grottesco, di enigmi (3 voll. in cofanetto)
Malory, Storia di re Artù e dei suoi cavalieri (2 voll. in cofanetto)
Alighieri, La Divina Commedia (3 voll. in cofanetto)
Virgilio, Eneide
Cervantes, Novelle esemplari
Flaubert, Salambò
Cattaneo, L'insurrezione di Milano
Pellico, Le mie prigioni
Fogazzaro, Piccolo mondo antico
Flaubert, Bouvard e Pécuchet
Verga, Eros
Melville, Moby Dick
Parini, Il giorno
Goldoni C., Il Campiello – Gl'innamorati
Gogol', Racconti di Pietroburgo
Foscolo, Ultime lettere di Jacopo Ortis
Montaigne, Saggi (3 voll. in cofanetto)
Chaucer, I racconti di Canterbury
Shakespeare, Coriolano
Machiavelli, Il Principe
AA.VV., I capolavori della poesia romantica (2 voll. in cofanetto)
Guglielminetti, Il tesoro della novella italiana (2 voll. in cofanetto)
Hoffmann, L'uomo della sabbia e altri racconti
Wilde, Il fantasma di Canterville e altri racconti
Molière, Il Tartufo – Il malato immaginario
Alfieri, Vita
Cesare, Le guerre in Gallia
Dostoevskij, L'adolescente
Platone, Simposio – Apologia di Socrate – Critone – Fedone
Dostoevskij, I demoni
Leopardi, Canti
Dostoevskij, Memorie del sottosuolo
Manzoni, Tragedie
Foscolo, Sepolcri – Odi – Sonetti
Hugo, I miserabili (3 voll. in cofanetto)
Balzac, La Commedia umana. Racconti e novelle (2 voll. in cofanetto)
Dostoevskij, Umiliati e offesi
Tolstòj, I cosacchi
Conrad, Tifone
Voltaire, Candido
Leopardi, Operette morali

Alfieri, Tragedie (Filippo – Saul – Oreste – Mirra – Bruto II)
Polibio, Storie
Catullo, Canti
Tolstòj, La sonata a Kreutzer
Shakespeare, Amleto
Melville, Gente di mare
Apuleio, Metamorfosi
Goethe, Le affinità elettive
Rilke, I quaderni di Malte L. Brigge
Verga, Il marito di Elena
Fogazzaro, Daniele Cortis
Capuana, Giacinta
Turgenev, Padri e figli
Tarchetti, Fosca
De Maupassant, Bel Ami
Erodoto, Le storie
Boulanger, I romanzi della Tavola Rotonda (a cura di)
Petronio, Satiricon
Dumas, La signora delle Camelie
Finzi Gilberto, Racconti neri della scapigliatura (a cura di)
Goethe, I dolori del giovane Werther
Boccaccio, Decameron (2 voll. in cofanetto)
Shakespeare, Riccardo III
Stendhal, La Certosa di Parma
Laclos, Amicizie pericolose
Teofrasto, Caratteri
Cesare, La guerra civile
Tucidide, La guerra del Peloponneso
Dickens, Davide Copperfield
Verga, Tutto il teatro
Tolstoj, Anna Karenina
Tolstoj, Guerra e pace (2 voll. in cofanetto)
Shakespeare, Re Lear
Virgilio, Georgiche
Plauto, Mostellaria
Menandro, Le commedie
James, Giro di vite
Aurelio Marco, Pensieri
Ariosto, Orlando furioso (2 voll. in cofanetto)
Sofocle, Edipo re – Edipo a Colono – Antigone
Goethe, Faust (2 voll. in cofanetto)
Cooper, La prateria
Dumas, I tre moschettieri
Dostoevskij, L'eterno marito
Balzac, Memorie di due giovani spose
Manzoni, I promessi sposi
Flaubert, Tre racconti
Milton John, Paradiso perduto (2 voll. in cofanetto)
Conrad, Cuore di tenebre
Virgilio, Bucoliche
Shakespeare, Misura per misura
Rousseau, Confessioni
Eschilo, Orestea
Boccaccio, Caccia di Diana - Filostrato

OSCAR NARRATIVA

Francis, Cielo di notte
Zoderer, L'"italiana"
Proust, I Guermantes
Chiara, Il capostazione di Casalino
Bass, Smeraldo
Michele di Grecia, Sultana
AA.VV., Occulta, l'omnibus del soprannaturale
Chesterton, Le avventure di un uomo vivo
Castellaneta, Viaggio col padre
Balestrini, Vogliamo tutto
Brooks, Le pietre magiche di Shannara
Kelly-Wallace, Witness
Hemingway, Un'estate pericolosa
Breinholst, Ciao mamma, ciao papà, ciao tutti
Burnett, La giungla d'asfalto
Bartolini, Ladri di biciclette
West, Un mondo di vetro
Parise, L'eleganza è frigida
Papa, I racconti degli Dei
Hamsun, Fame
Leavitt, Ballo di famiglia
Biagi, Fatti personali
Sulitzer, Money
Vonnegut, Mattatoio n. 5
AA.VV., Romanzi erotici del '700 francese
Pomilio, Il natale del 1833
Agrati – Magini, Kalèvala
Faulkner, L'urlo e il furore
Agnelli S., Addio, addio mio ultimo amore
Gatto Trocchi, Le fiabe più belle del mondo (2 voll. in cofanetto)
Hoover, Moghul
Forster, Casa Howard
Huxley, I diavoli di Loudun
Siciliano, Rosa pazza e disperata
Castellaneta, Incantesimi
Lagorio, Approssimato per difetto
Pratolini, Diario sentimentale
Faulkner, Non si fruga nella polvere
West, Kundu
Pomilio, L'uccello nella cupola
Sulitzer Paul – Loup, Cash!
Amado, Mar Morto
Boll, Diario d'Irlanda
Buzzati, Il meglio dei racconti di Dino Buzzati
King Stephen, L'uomo in fuga
Sgorlon, L'ultima valle
Dal Lago, Fiabe del Trentino Alto Adige
Isaacs, Quasi un paradiso
Chiara, Saluti notturni dal Passo della Cisa
Ionesco, Il solitario
AA.VV., Racconti dall'India
Storie da proverbi cinesi
Malraux, La speranza
Dal Lago, Il regno dei Fanes
La Capria, Fiori giapponesi

Kazantzakis, Zorba il greco

Korda, Fortune terrene

Bellonci, Rinascimento privato

Leduc, La bastarda

Elegant, Il Mandarino

Massa Renato, Per amore di un grillo, e di una rana e... di tanti altri

Malerba, Il serpente

Mari – Kindl, Il bosco: miti, leggende e fiabe

Theroux, Costa delle zanzare

Pontiggia, Il giocatore invisibile

Jirasek, Racconti e leggende della Praga d'oro

Pomilio, La compromissione

Mishima, Colori proibiti

Coscarelli, Fortunate e famose

Tobino, Zita dei fiori

Eco Umberto, Diario minimo

De Crescenzo, Raffaele

Faulkner, Luce d'agosto

Lovecraft, Tutti i racconti (1917-1926)

Konsalik, Il medico del deserto

Forester, Avventure del capitano Hornblower

Green J., Passeggero in terra

Bernanos, L'impostura

Coccioli Carlo, Davide

Nievo S., Le isole del Paradiso

Hailey, Medicina violenta

Slaughter, Donne in bianco

Carroll – Busi, Alice nel paese delle meraviglie (libro + 2 audiocassette con brani interpretati da Busi)

Chiara, Il meglio dei racconti di Piero Chiara

Carver, Cattedrale

Grimaldi Laura, Il sospetto

Roncoroni, Il libro degli aforismi (a cura di)

Forsyth, Nessuna conseguenza

Faulkner, Gli invitti

London, Racconti dello Yukon e dei mari del Sud – 2 voll. in confanetto

Il libro dei re

Pomilio, Il testimone

AA.VV., Appassionata

Mailer, Un sogno americano

Narratori cinesi contemporanei, Racconti dalla Cina

Childe, Streghe, vittime e regine

AA.VV., 150 anni in giallo

Zorzi, Nemici in giardino

Rossner, In cerca di Goodbar

Hemingway, Il giardino dell'Eden

Zavoli, Romanza

Strati, Tibi e Tascia

Kipling, Kim

Bellonci, Lucrezia Borgia

Chiusano, L'ordalia

Hesse, Rosshalde

Gatto Trocchi, Fiabe molisane

Billetdoux, Le mie notti sono più belle dei vostri giorni

Bonaviri Giuseppe, Il sarto della stradalunga

Levy, Il diavolo in testa

Ruesch, Il paese dalle ombre lunghe

Pomilio, Il quinto evangelio

AA.VV., Racconti dall'URSS

Alvaro, Il meglio dei racconti di Corrado Alvaro

Conan Doyle, Racconti d'acqua blu

Hyde, La volpe rossa

Grossman David, Vedi alla voce: amore

Sagan Françoise, E poi alla fine

Achebe, Il crollo – Ormai a disagio

Chiara, Di casa in casa, la vita

Fleming, Vivi e lascia morire

Venè, La notte di Villarbasse: A sangue freddo nell'Italia del '45

Tobino, Sulla spiaggia e di là dal molo

OSCAR LA BIBLIOTECA DI BABELE

London, Le morti concentriche
Machen, La piramide di fuoco
Pu Sung Ling, L'ospite tigre
Villiers de d'Isle-Adam, Il convitato delle ultime feste
Wilde, Il delitto di Lord Arthur Savile
Borges, Libro di sogni
James, Gli amici degli amici
Meyrink, Il Cardinale Napellus
Bloy, Storie sgradevoli
Cazotte, Il diavolo in amore
De Alarcon, L'amico della morte
Kafka, L'avvoltoio
Hinton Howard, Racconti scientifici
Chesterton, L'occhio di Apollo
Voltaire, Micromegas
Papini, Lo specchio che fugge
Melville, Bartleby lo scrivano
Beckford, Vathek

35453
1992

« *Vita d'un uomo - 106 poesie 1914-1960* »
di Giuseppe Ungaretti
Oscar classici moderni
Arnoldo Mondadori Editore

Questo volume è stato stampato
presso Arnoldo Mondadori Editore S.p.A.
Stabilimento Nuova Stampa - Cles (TN)
Stampato in Italia - Printed in Italy